Méthode de lecture

TRAMPOLINE

NOUVELLE ÉDITION 2020

Guide pédagogique

CP

(Extrait)

Ressources complémentaires téléchargeables gratuitement

- Fiches de lectures du soir et bilans modifiables au format Word
- Affiches des mots-repères
- Matériel de manipulation

trampoline.nathan.fr

Cet ouvrage est conforme à la nouvelle orthographe
www.orthographe-recommandee.info

Nathan

Sommaire de l'extrait

Mise en œuvre des séances d'apprentissage du code

*Pour le **fichier d'apprentissage du code**, seules l'exploitation de deux unités sont données dans cet extrait, à titre d'exemple.*

Mise en œuvre des séances de lecture-compréhension

*Pour le **fichier de lecture-compréhension**, seule l'exploitation des épisodes 1, 3 et 7 de la Période 1 est donnée dans cet extrait, à titre d'exemple ainsi que les pages Vocabulaire, Écrire et Lire un autre texte.*

Période 1 – Quelle histoire !

Fiches complémentaires

*Exemples de fiches du **Fichier à photocopier**. Les bilans d'apprentissage du code et de lecture-compréhension sont également disponibles sur trampoline.nathan.fr, téléchargeables et modifiables.*

ISBN : 313-3-09-117242-8

Présentation de la méthode

Introduction

La nouvelle édition de *Trampoline CP* s'appuie sur les orientations des programmes 2016 augmentés des ajustements de 2018. Elle tient compte des indications du guide *Pour enseigner la lecture et l'écriture* édité par le Ministère.

Les auteurs ont choisi de traiter de façon distincte la maitrise du fonctionnement du code graphophonologique et la compréhension de textes narratifs et documentaires. Des **fichiers indépendants** permettent à l'enseignant(e) **d'adapter** et de faire évoluer ses programmations en fonction du niveau de ses élèves ou de ses choix pédagogiques. Ce parti pris est également motivé par la volonté de travailler la lecture et la compréhension à partir de **véritables textes d'auteurs** de littérature de jeunesse. Pour les enseignant(e)s qui le souhaitent, une programmation commune aux deux fichiers est proposée à titre indicatif.

Afin de bien accompagner les enseignant(e)s et de compléter les fichiers, *Trampoline* propose également des fiches supplémentaires d'**oral**, de **fluence**, d'**écriture**, de **différenciation** et de **lectures** dans le fichier à photocopier ainsi que du matériel de **manipulation** sur le site trampoline.nathan.fr.

Choix didactiques et pédagogiques

Pour apprendre à lire, un enfant est amené à traiter quatre composantes : le fonctionnement du code, la compréhension de textes, la production d'écrits et la connaissance de la culture écrite.

Dans le fichier d'apprentissage du code, les élèves apprennent **les correspondances entre graphèmes et phonèmes** et **la fusion des graphèmes.** Cet apprentissage doit faire l'objet d'un travail systématique et quotidien dès le début de l'année selon une progression qui tient compte de leur complexité et de leur fréquence d'utilisation.

Dans le fichier de lecture-compréhension, les élèves travaillent **la compréhension de textes, la production d'écrits** et **l'acculturation.**

Pour développer des compétences en compréhension de textes, il est indispensable de confronter très tôt les élèves à des textes littéraires. C'est pourquoi *Trampoline* aborde le travail sur la compréhension à partir d'albums de littérature de jeunesse. Ces textes authentiques, riches et résistants, permettent aux élèves de **mettre en œuvre des stratégies de compréhension** que l'enseignant(e) pourra rendre explicites : se faire une représentation de sa lecture, émettre des hypothèses sur la suite de l'histoire, réaliser des inférences, etc.

Un travail en **étude de la langue**, à partir des textes rencontrés, permet également de mieux comprendre l'organisation de l'écrit.

Les albums offrent aussi la possibilité de travailler des compétences particulières : connaitre l'organisation du livre, sa conception, comprendre la relation texte-image.

Les ouvrages proposés sur l'année répondent au souci de varier le type d'écrit (fiction et documentaire) et les genres (histoire en randonnée, policier, documentaire, roman).

Les élèves élargissent ainsi leur culture de l'écrit et peuvent ensuite transférer leurs nouvelles connaissances à d'autres lectures.

D'autre part, travailler sur des albums permet aux élèves de développer leur désir de lire et d'accroitre leur plaisir de rencontrer de nouveaux livres. Les enfants sont toujours très motivés à l'idée de lire un « vrai » livre.

Au CP, il est rappelé l'importance de **faire converger les différentes composantes** de la lecture.

L'habilité de l'enseignant(e) est de **rendre explicites les différents apprentissages** et, en s'appuyant sur les acquis des élèves, de les structurer en faisant des liens entre les différents moments de travail.

Le code, la lecture de textes, l'étude progressive de la langue, l'écriture sont des entrées dans l'écrit complémentaires qui concourent à former de bons lecteurs.

Ce dosage est facilité par l'usage d'**une méthode souple d'utilisation.**

Trampoline CP permet à chaque enseignant(e) d'apporter et de moduler les différentes composantes nécessaires à la maitrise de la lecture.

Les outils pour l'élève et pour la classe

Les outils pour l'élève

Le fichier d'apprentissage du code :
Il propose de nombreux exercices d'entrainement, des **bilans** et des pages de **consolidation.**

Ce fichier peut être utilisé indépendamment du fichier de lecture-compréhension. Il permettra à l'enseignant(e) d'avancer au rythme qu'il souhaite et ainsi de s'adapter au mieux aux besoins de ses élèves.

Le fichier de lecture-compréhension :
À partir de la lecture de 5 albums, il propose des activités de compréhension (portant sur le vocabulaire, la compréhension explicite, les stratégies de lecture et l'étude la langue), un travail spécifique sur le **vocabulaire**, des situations guidées de **production d'écrits**, l'écoute et la lecture d'autres types de textes (poésies, théâtre, documentaires...).

Les 5 albums : à utiliser en collectif, en petit groupe ou individuellement.

Ce sont des albums **authentiques** de la littérature de jeunesse, de genres variés, proches des intérêts des élèves : un récit du patrimoine, un conte détourné, un récit policier humoristique, un documentaire sur les dinosaures et un récit de vie.

- ***Mon chat Ouma*** : pour commencer avec une histoire en randonnée animalière.
- ***Le plus féroce des loups*** : c'est l'occasion d'aborder l'univers des contes.

Présentation de la méthode

- ***Splat, agent secret*** : aborde ici avec humour le thème des enquêtes policières.
- ***Dokéo, Les dinosaures*** : permet aux élèves d'aborder le livre documentaire.
- ***Souvenirs de Gibraltar*** : termine l'année par un récit de vie émouvant.

Les outils pour l'enseignant(e)

Le guide pédagogique :
Il propose la mise en œuvre de toutes les séances et donne des indications concrètes pour mettre en place la **différenciation**, ainsi qu'une programmation générale pour les enseignant(e)s souhaitant travailler en parallèle les deux fichiers.
- La première partie propose l'exploitation de chaque unité du fichier d'apprentissage du code.
- La seconde partie explicite, séance par séance, chaque page du fichier de lecture-compréhension.

Le fichier à photocopier :
Il propose des fiches d'**oral**, d'**entraînement à la fluence**, d'**écriture**, des fiches de **lectures du soir**, des **bilans**, des fiches de **différenciation** (jeux), des fiches d'**exercices** et des **étiquettes à découper**.

Les outils téléchargeables gratuitement : les fiches de lectures du soir et les bilans au format Word pour pouvoir les modifier en fonction des besoins des élèves, des exercices de différenciation, les affichettes des mots-repères, le matériel de manipulation (cartes, étiquettes), les versions numériques des fichiers de l'élève vidéoprojetables.

Organisation générale

- Dans le **fichier code**, les graphèmes sont étudiés sur **une** ou **deux pages**. Chaque graphème est étudié en **deux séances**, une séance dédiée à la **discrimination visuelle** du graphème, son écriture et **la lecture de syllabes** puis une séance sur la relation graphème-phonème, l'écriture de mots (encodage) et la lecture de mots et de phrases. L'étude se fait de façon progressive : on part de la discrimination visuelle du graphème pour aller vers la syllabe puis le mot et enfin la phrase et le texte.

Régulièrement, des bilans sont proposés (un par période). Les exercices sont **récurrents** afin de permettre aux élèves d'être **autonomes**. Pour chaque séance, le guide propose des **activités orales et écrites complémentaires**.

- **Le fichier de lecture-compréhension** est divisé en **5 périodes** regroupant chacune des activités de **lecture**, de **vocabulaire**, d'**étude de la langue**, et de **production d'écrits**. Précédant la première période, une partie intitulée « Bonjour le CP ! » permet de faire le lien entre la maternelle et l'élémentaire. Chacune des périodes est constituée d'un **texte d'auteur** de littérature de jeunesse (œuvre complète) divisée en **8 épisodes** (7 épisodes pour la période 1), d'une **double page *Vocabulaire*** (une seule page pour la période 1), d'une **double page *Écrire*** (une seule page pour la période 1), d'une **double page** qui permet d'aborder un **autre type de texte** sur le même thème et enfin d'une ouverture sur d'**autres histoires à écouter**, toujours en lien avec le thème de la période (lectures en réseau). Chaque période constitue un travail à réaliser sur **six semaines**.

Un **bilan** (fichier à photocopier) est proposé à l'issue de chaque période.

Trampoline propose également des activités de **différenciation** indiquées par le picto ⊕ dans le fichier de l'élève et d'autres activités dans le fichier à photocopier ou à télécharger pour permettre à l'enseignant(e) d'adapter sa pédagogie aux besoins de ses élèves.

Les principes fondamentaux

On peut résumer les principes fondamentaux de *Trampoline* ainsi :
- Aborder la lecture par toutes ses composantes : maitrise du code, accès à la compréhension, lecture de textes variés issus de la littérature de jeunesse.
- Pratiquer l'oral régulièrement et systématiquement.
- Mettre la production d'écrits, le vocabulaire et l'étude de la langue au service de la lecture.
- Permettre à tous les élèves de progresser grâce à la différenciation.
- Rendre les élèves autonomes devant les exercices.

Aborder la lecture par toutes ses composantes : maitrise du code, accès à la compréhension, lecture de textes variés

L'enseignement du code est primordial. Il est essentiel au CP d'enseigner de manière explicite les correspondances entre les lettres et les sons.

Dès la rentrée, cet apprentissage est mis en place quotidiennement, **de façon systématique.** Ce travail est associé à un **travail d'écriture** (encodage) qui doit se faire parallèlement à l'apprentissage du code. Il faut également pratiquer tous les jours des dictées de syllabes, de mots voire même de phrases que l'enseignant(e) choisira selon les besoins de ses élèves.

La compréhension des histoires des albums est d'abord travaillée dans le guide pédagogique par un **questionnement oral** portant sur l'épisode écouté (puis au cours de l'année, lu) en classe. Ce travail est ensuite renforcé dans le fichier de lecture-compréhension par des **exercices écrits** ou sous forme de **dessins.**

Ces exercices sont présentés selon un ordre permanent : un exercice portant sur le **vocabulaire**, quelques exercices de **compréhension** des éléments de l'histoire, des exercices explicitant une ou plusieurs **stratégies de**

lecture utilisées pour comprendre l'épisode (elles seront réinvesties dans les différentes lectures), des exercices d'**étude de la langue** en lien avec certaines difficultés du texte. Pour finir, une **activité orale** a pour objectif de revoir le texte pour mieux se l'approprier (jouer la scène, raconter, questionner le texte, décrire, etc.).

Pratiquer l'oral systématiquement

L'apprentissage de l'oral est déterminant au CP. Les élèves entreront dans l'écrit d'autant plus facilement qu'ils bénéficieront d'une maitrise de l'oral suffisante.

Les objectifs du langage oral sont nombreux : s'exprimer de façon concise, décrire, raconter, reformuler, exposer, demander... L'ensemble nécessite de travailler les qualités de paroles (intelligibilité, intensité, articulation), la syntaxe ou encore le vocabulaire.

Les programmes précisent que « *Les séances consacrées à un entrainement explicite de pratiques langagières (raconter, décrire, expliquer, prendre part à des interactions) gagnent à être incluses dans les séquences constitutives des divers enseignements et dans les moments de régulation de la vie de classe.* »

Les **visuels** présents dans le **fichier de lecture-compréhension** (page d'ouverture de période, introduction de la partie vocabulaire, illustrations dans « Écouter un autre texte », couvertures dans « D'autres histoires à écouter ») permettent de travailler l'oral et sont l'occasion de pratiquer des séances d'explication, de mémorisation, voire de réinvestissement. Le guide pédagogique aide les enseignant(e)s dans ces moments de pratique de l'oral.

Quelques exemples :

Programmes 2016	*Trampoline*
Rappels de récits entendus ou lus.	Systématiquement, en début de séance de lecture.
Présentation des conclusions tirées d'une séance d'apprentissage, d'une lecture documentaire, avec réutilisation du vocabulaire découvert en contexte.	À faire particulièrement au moment du travail sur le texte documentaire *« Dokéo, Les dinosaures »*.
Présentation d'un ouvrage, d'une œuvre.	À envisager à partir des pages « D'autres histoires à écouter ».

À partir de l'étude de la **page de couverture de l'album**, l'élève anticipe le contenu du texte. L'enseignant(e) apporte le vocabulaire nécessaire à la compréhension et l'élève émet des hypothèses : *Que va-t-il se passer ? Qui est le personnage ? Où l'histoire se déroule-t-elle, etc.*

Dans *Trampoline*, les moments de langage sont de véritables situations de communication afin de permettre à l'enfant de développer des compétences langagières indispensables.

Des **fiches d'oral** et **de lecture à voix haute** sont également proposées dans le fichier à photocopier.

• Les **fiches d'oral** (une par période) proposent différentes mises en situations pour mieux parler, expliquer, argumenter (sketchs, histoires en images...).

• La **fiche de lecture à voix haute** porte sur l'album *Mon chat Ouma*. Elle servira de modèle pour l'exploitation des autres albums en suivant la même démarche. La compréhension de l'histoire ayant été travaillée, elle permet d'élaborer avec les élèves une grille des critères de réussite propre à la lecture à voix haute du texte (fluidité de la lecture et qualité de l'expression).

Le fait d'utiliser des albums met les élèves dans une situation de communication chargée de sens. Ils s'exercent à la lecture à voix haute en ayant pour but de présenter l'histoire à un auditoire, à l'intérieur ou en dehors de l'école.

La lecture à voix haute sera mise en place quand les compétences de déchiffrage des élèves le permettront. Elle est donc à envisager sur les dernières périodes de l'année. Cet entrainement renforce grandement les compétences de déchiffrage.

Ce travail peut être mené dans une dynamique de projet où les élèves ont pour objectif de lire leur livre à d'autres classes ou aux parents.

Plusieurs organisations de lecture sont possibles. Exemple pour *Mon chat Ouma* :

1. Par groupe de **7 élèves.** Chaque élève lit un épisode.

2. En ajoutant des lecteurs pour les dialogues : un élève lit toutes les paroles d'Ouma, un autre élève celles de la poule, un autre celles du lapin et de même pour le perroquet, le poisson, Momo et le chien. Soit un groupe de **14 élèves.**

3. Avec un narrateur et 7 personnages, soit un groupe de **8 élèves.**

Dans tous les cas, on peut ajouter un élève qui lit le titre de l'histoire.

Les séances, de 10 ou 15 minutes chacune, sont réparties tout au long de la semaine. Elles sont précédées, pour chaque type de texte, d'une séance de recherche collective des critères de réussite propres au texte lu.

Mettre le vocabulaire, la production d'écrits et l'étude de la langue au service de la lecture

Les programmes précisent « *lecture et écriture sont deux activités intimement liées* »... « *écrire est l'un des moyens d'apprendre à lire* ».

• ***Le vocabulaire du fichier de lecture-compréhension***

Une double page « vocabulaire » par période permet à l'élève **d'enrichir son bagage lexical** sur un thème donné. L'objectif n'est pas ici la mémorisation orthographique, mais bien l'acquisition d'un lexique qui sera **réinvesti dans les pages d'écriture** qui suivent.

Il est nécessaire que les élèves acquièrent des mots nouveaux, qu'ils les comprennent et les mémorisent afin de les employer pour s'exprimer de façon plus précise.

Ce travail permet à l'enseignant(e), sans formaliser et sans faire de leçon spécifique, d'aborder par des activités de **classement**, de **comparaison**, d'**opposition**, une réflexion sur la langue en général et sur le vocabulaire en particulier.

Ces pages débutent par une illustration sur le thème de la période. Collectivement, les enfants trouvent les mots qui correspondent au thème, l'enseignant(e) apporte, si besoin, le lexique nouveau. Un travail de réinvestissement et de structuration est ensuite proposé. Lors de la dernière activité, les élèves construisent eux-mêmes leur liste de mots. Un classement est proposé et les élèves le continuent, se constituant ainsi tout au long de l'année un véritable **répertoire de mots.**

En parallèle de ces pages « vocabulaire », *Trampoline* propose de travailler le lexique **quotidiennement**, par des **activités systématiques.**

• *Un exercice ritualisé de lexique en contexte*

Le premier exercice de compréhension d'un épisode porte toujours sur un mot du lexique.

• *Le vocabulaire au quotidien : travail collectif*

Lors de l'étude de chaque épisode, il est important de proposer des séances quotidiennes de vocabulaire.

Au cours des deux journées d'étude d'un épisode, les séances 2, 3 et 4 ne se font pas au moment de la séance de lecture.

Jour 1

Séance 1. Les mots difficiles de l'épisode (les mots illustrés et ceux qui peuvent plus ou moins poser problème en fonction des classes) sont repérés et écrits dans un coin du tableau. Les élèves cherchent une définition à l'aide du contexte puis l'enseignant(e) apporte la définition exacte qui est écrite en face du mot correspondant au tableau. Ces mots et ces définitions resteront pendant les deux jours d'étude de chaque épisode.

Séance 2. Au cours de la même journée, l'enseignant(e) cache les mots (même si les élèves ne savent pas encore lire, cette démarche sera la même tout au long de l'année) et relit les définitions (pas forcément dans l'ordre). Les élèves doivent retrouver le mot correspondant.

Jour 2

Séance 3. Cette fois, les définitions sont cachées et les élèves doivent essayer de les retrouver.

Séance 4. Les mots et leurs définitions sont apparents. Les élèves doivent employer ces mots dans des phrases de leur invention.

• *La production d'écrits*

Faire écrire les élèves est une nécessité. Les activités déjà mises en place en maternelle sont nombreuses : dictée à l'adulte, écriture inventée, etc. Au CP, il conviendra de pratiquer très régulièrement des activités d'encodage, soit des dictées de syllabes ou de mots connus, soit des écrits de mots par tâtonnements (essais/erreurs).

Chaque période propose un projet d'écriture plus conséquent en lien avec l'album étudié, utilisant le lexique des pages vocabulaire.

• *L'étude de la langue*

Les instructions officielles rappellent que « *les objectifs de l'étude de la langue au cours du cycle 2 sont liés à la lecture et à l'écriture. Les connaissances acquises permettent de traiter des problèmes de compréhension et des problèmes orthographiques* ».

Le travail d'étude de la langue sera donc en lien avec le travail de compréhension du texte de chaque épisode du fichier de lecture-compréhension.

Pour commencer, les élèves sont amenés à se souvenir des différentes connaissances qu'ils ont déjà de l'écrit et à les travailler explicitement : le sens de la lecture, les mots, les phrases, la ponctuation, les marques des dialogues... Ils apprennent aussi à nommer ce qu'ils observent et étudient : une **phrase**, une **ligne**, une **majuscule**, une **minuscule**, un **nom**, un **mot**...

Puis, au cours des périodes suivantes, les élèves travailleront sur les repères qu'offre l'écrit pour mieux comprendre : distinguer un **nom propre** d'un **nom commun**, un **nom féminin** d'un **masculin**, un **nom au pluriel** d'un **nom au singulier**, la régularité de certaines **terminaisons de verbes**, etc.

Les élèves s'interrogeront également sur la signification de certains mots comme ***le*** et ***la*** qui peuvent être des **déterminants** accompagnant les noms mais aussi des **pronoms** remplaçant des mots déjà lus. Ils essaieront de comprendre qui est ***il***, qui est ***elle***...

Il n'est pas question cependant de faire des « leçons de grammaire » ni d'employer une nomenclature précise mais, comme l'indiquent les instructions officielles, il conviendra de **s'interroger sur la langue** et de **construire progressivement des connaissances chargées de sens.**

Rendre les élèves autonomes

Rendre les élèves autonomes est une priorité pour l'enseignant(e). Il faut donc les aider à accéder à cette autonomie. L'enseignant(e) doit expliciter ses attentes sur :

- La tâche que doit accomplir l'élève.
- Ce qu'il peut faire s'il n'y arrive pas :
  - Regarder dans les pages précédentes si un exercice du même type a déjà été fait.
  - Essayer de lire et relire la consigne.
  - Regarder l'exercice et deviner ce qu'il faut faire.
  - Demander de l'aide à un(e) camarade en chuchotant.
  - Faire un autre exercice.
  - Attendre que l'enseignant(e) soit disponible pour l'aider...
- Ce qu'il peut faire s'il a fini :
  - Aller chercher un livre à la bibliothèque.
  - Faire un dessin.
  - Aider un camarade...

Cette autonomie doit permettre à l'enseignant(e) d'avoir le temps de prendre un groupe à part et d'aider les élèves qui en ont besoin.

Dans le **fichier d'apprentissage du code**, des indications claires (couleur des verbes, pictos) et des procédures récurrentes aideront les élèves. Les exercices proposés sont identiques d'une unité à l'autre. Cette démarche permet aux élèves d'être autonomes car ils retrouvent facilement la consigne et se mettent alors rapidement en activité. Cette autonomie permet à l'enseignant(e) de gérer éventuellement un autre groupe d'élèves dans la classe.

L'autonomie des élèves est renforcée par la présence de **pictos.** Pendant les périodes 1 et 2, chaque consigne est associée à un picto. Un travail en tout début de fichier permet aux élèves de se les approprier. Ils peuvent également se référer à tout moment à la présentation des logos sur le plat 2 de couverture.

Enfin, il conviendra de s'assurer que les élèves sont en mesure de faire leurs exercices en levant toutes les incertitudes. Avant de les faire travailler individuellement, il faut expliquer les exercices, nommer les dessins, s'assurer qu'il n'y ait pas d'incompréhension.

Permettre à tous de progresser grâce à la différenciation

Les classes sont composées d'élèves de niveaux hétérogènes. Afin de réduire les disparités sociales et culturelles et de faire progresser tous ses élèves, l'enseignant(e) se doit de différencier ses apprentissages. *Trampoline* permet de mettre en place cette démarche en lecture-compréhension grâce à un **codage**, facilement identifiable par les enfants : ⊕. L'enseignant(e) choisit d'imposer un exercice ou laisse l'élève déterminer lui-même son degré de difficulté. Cette **différenciation** porte parfois sur du **quantitatif** (exercices supplémentaires), mais le plus souvent sur du **qualitatif** (niveau de difficulté, présentation...).

D'autres **conseils de différenciation** sont également proposés dans les **commentaires des différentes séances** pédagogiques.

L'aide peut être relationnelle, certains élèves ayant besoin d'un temps de **guidage supplémentaire**. Elle peut aussi consister en une phase plus importante de **manipulation** (action à mener sur le texte, usage d'étiquettes et de cartes lettres). Dans les deux cas, la parole est donnée à l'élève pour lui permettre de mettre des mots sur les objets d'enseignement et d'exprimer le cheminement de sa démarche d'apprentissage.

L'enseignant(e) peut alors agir de façon adaptée.

Enfin, une proposition d'organisation pédagogique est parfois donnée afin d'aider l'enseignant(e) dans la gestion de sa classe.

Pour les élèves qui rencontrent des difficultés et confondent parfois certains phonèmes ou graphèmes, des **exercices de consolidation** portant sur les **confusions sonores** ou **visuelles** les plus fréquentes sont proposés à la **fin du fichier code**. Ils sont déchiffrables par les élèves, à condition bien entendu qu'ils soient réalisés après l'étude des graphèmes concernés.

Pour les élèves performants, des exercices supplémentaires sont également proposés sur le site Trampoline.

Les **jeux** proposés dans le fichier à photocopier peuvent également être utilisés en différenciation pour revoir autrement certaines notions.

L'évaluation : les bilans

Les **bilans** évaluent les compétences des élèves à un moment donné. Ils permettent de suivre leur évolution et leur progression tout au long de l'année. En début d'apprentissage, on procède à une évaluation diagnostique. En cours d'apprentissage, on est amené à évaluer et à remédier immédiatement, le fichier est alors un outil sur lequel l'enseignant(e) peut s'appuyer. À la fin de chaque période, on procède à une évaluation sommative de contrôle des connaissances.

• ***Bilans code***

Ils sont proposés dans le fichier d'apprentissage du code, après 8 ou 9 graphèmes étudiés. Volontairement, dans la programmation, il n'est pas prévu de faire passer ces bilans le même jour voire la même semaine que les bilans compréhension, afin de répartir la charge de travail pour les élèves.

L'évaluation par compétence permet de pointer précisément les résultats et de mettre en place une remédiation si besoin. Des temps de séances de remédiation sont prévues dans la programmation après chaque bilan code. L'enseignant(e) synthétise les résultats des élèves et permet de travailler en groupes de besoin pour revoir les notions qui n'ont pas été assimilées ; elle/il propose ensuite une remédiation adaptée à ses élèves. Elle/Il pourra bien évidemment s'appuyer sur les pages « consolidation » du fichier. Selon les erreurs ou les difficultés répertoriées, elle/il pourra également proposer des activités à créer sur le modèle de celles du fichier ou apporter d'autres types d'exercices.

• ***Bilans lecture-compréhension***

Ils sont proposés dans le fichier à photocopier. Les compétences travaillées dans ces bilans suivent les progrès des élèves et sont donc amenées à évoluer au cours de l'année. C'est pourquoi ce ne sont pas systématiquement les mêmes en début et en fin d'année. Ces bilans sont également téléchargeables sur le site trampoline.nathan.fr et modifiables par l'enseignant(e) selon les besoins de sa classe.

Prévoir 5 à 10 minutes par exercice.

En début de séance d'évaluation, expliquer aux élèves que l'objectif de ces bilans est de savoir ce qu'ils ont appris et retenu et leur préciser sur quel texte ils vont travailler (*Ouma*, *Splat*, etc.).

L'écriture

Les élèves qui arrivent au CP ont des **niveaux de maitrise du geste très différents** pour des raisons physiologiques et parfois d'apprentissage.

Il faut proposer un **entrainement quotidien du geste d'écriture** tout en ayant à l'esprit ces différences de maturité physiologique. Il n'est pas possible d'avoir le même résultat pour tous les élèves mais tous vont progresser et tous sauront écrire avec aisance si on évite les crispations dues à la mauvaise prise en compte de leur diversité.

La **progression des fiches d'écriture** suit l'apprentissage du code. Les différents graphèmes sont ainsi revus à travers l'activité graphique. Leur tracé s'appuie sur la connaissance et l'entrainement des formes de base de notre écriture : la boucle, la guirlande, le rond, le pont.

L'écriture des graphèmes se prolonge par la copie de syllabes et de mots que les élèves peuvent décoder.

Les unités du fichier code proposent aussi systématiquement un **modèle fléché**, l'**apprentissage du tracé du graphème étudié** ainsi que l'écriture **de syllabes et de mots** utilisant ce graphème.

Trampoline propose, dans le fichier à photocopier, une **fiche d'écriture par jour** alternant l'apprentissage d'un nouveau graphème et la révision de précédents.

Avant de faire travailler les élèves sur les fiches, il est

important de :
- S'assurer qu'ils sont bien assis.
- Rappeler comment il faut tenir son crayon.
- Annoncer l'objectif d'apprentissage de la séance.
- Faire réaliser le tracé avec le doigt dans l'espace avant de le reproduire sur la feuille.
- Décrire le mouvement réalisé en employant des termes de description constants qui permettront de mieux comprendre et de mieux mémoriser le geste.

Après ces mouvements amples du bras, les élèves peuvent s'exercer sur l'ardoise. Cet outil permet de s'entrainer plusieurs fois afin de dépasser les difficultés. Sur la fiche, l'entrainement est réduit et la trace est plutôt celle qui permet de constater le niveau de maitrise de l'élève.

Le recours à l'ardoise peut donc se faire à chaque fois qu'un entrainement est nécessaire. **Il est une variable de différenciation.**

Sur chaque fiche, la progression proposée demande à l'élève d'écrire :
- sans lignes mais dans un espace ;
- sur une ligne de base sans interlignes ;
- entre deux interlignes ;
- avec les différentes lignes repères (Seyes).

Cette progression doit permettre à l'enseignant(e) de se rendre compte si certains élèves rencontrent des difficultés particulières dans le respect de la taille des tracés et dans leur adaptation aux lignes repères.

Un **travail de copie** est prévu en périodes 4 et 5.

Différenciation :
- La fiche peut être reproduite et modifiée pour proposer d'entrainer particulièrement le niveau de contrainte où commence la difficulté. Les espaces de la fiche délimitant les zones de tracé peuvent être agrandis si les élèves n'arrivent pas à contrôler l'ampleur de leur geste.
- Ne pas insister sur les niveaux qui mettent l'élève en échec et qui pourront être repris. On peut parfois ne les proposer qu'à la deuxième période. En revanche, l'ensemble des tracés de base sera travaillé par toute la classe lors des deux premières périodes.
- Avec des tablettes numériques, les élèves peuvent utiliser une application qui permet de tracer avec le doigt.
- Les élèves qui maitrisent mal leur geste peuvent s'entrainer sur des supports verticaux de grande largeur (tableau, piste graphique sur le mur). Ils sollicitent ainsi les articulations du coude et de l'épaule comme lors de l'écriture dans l'espace, recommandée en préambule du travail. Cette motricité ample est maitrisée avant celle des doigts. Cela permet aux élèves d'apprendre le geste sans développer de crispations. Le temps de tracé sur feuille sera réduit d'autant.
- Pour mieux maitriser les paramètres de taille et de pression de l'écriture, il est intéressant de proposer des jeux de contraste : écrire très grand puis très petit, écrire en appuyant fortement sur son crayon ou effleurer la feuille.

L'entrainement à la fluence

Dans *Trampoline CP*, les élèves apprennent à lire et à écrire des syllabes et des mots suivant une progression des graphèmes par période. Pour conforter ces apprentissages, un **entrainement à la fluence** est proposé afin de **renforcer la reconnaissance des syllabes et des mots** étudiés lors des séances de code et **parvenir à une lecture rapide et sure.**

Les exercices d'une période portent sur les acquis de la période précédente. Ils sont organisés de façon progressive :

- lecture de **graphèmes** : ce sont ceux étudiés lors de la période précédente.
- lecture de **syllabes** : elles sont présentées sous forme de tableaux de plus en plus complexes.
- lecture de **mots** : ce sont les mots des unités de code de la période précédente et quelques mots supplémentaires totalement déchiffrables. Ils sont donc composés des syllabes lues au préalable dans les tableaux (lecture de syllabes). En période 2, s'ajoute à ce corpus décodable les mots outils de la période 1.

Le même corpus de mots sert à des lectures variées : mots écrits avec leurs composantes syllabiques apparentes, mots regroupés selon une syllabe commune, dans le mot ou spécifiquement en début ou en fin de mot, mots écrits en lignes ou en colonnes. Cela permet aux élèves de s'entrainer de nombreuses fois, en variant les supports de lecture.

- lecture de **phrases** : de longueur croissante, elles reprennent les mots sur lesquels les élèves se sont entrainés précédemment.
- lecture de **textes** : écrits avec les mots de la période concernée, ils demandent une lecture expressive tenant compte du sens du texte et de sa ponctuation. Lors de la période 5, le texte de lecture pourra être utilisé pour s'entrainer à la fluence selon le dispositif proposé dans le fichier de lecture-compréhension. C'est ce dispositif que les élèves retrouveront ensuite dans *Trampoline CE1*.

Le dispositif consacré à la fluence d'une période constitue un ensemble de **difficulté graduée** et permet également un travail différencié, adapté aux compétences des élèves.

Pour constater ses progrès, **l'élève est invité à s'évaluer.** À trois reprises, il indiquera sur son exercice, l'endroit où il est en est dans sa lecture au bout d'une minute en traçant un trait : bleu à la fin de la première lecture, vert à la fin de la deuxième, rouge à la fin de la troisième.

L'enseignant(e) choisira les **modalités d'organisation** les plus adéquates, selon le but recherché : entrainement collectif (dispositif du furet, par exemple) pour s'approprier le corpus de la période concernée, entrainement d'un petit groupe, en interaction avec l'enseignant(e), entrainement par binômes ou individuel.

Le travail de reconnaissance de mots et de syllabes peut aussi être proposé sur écran (ordinateur, TNI) ou sous forme de *flash cards*.

Programmation générale

	Lecture-compréhension	Vocabulaire Langage oral Production d'écrit	Étude de la langue	Étude du code
Période 1	**Histoire-randonnée** • *Mon chat Ouma* Jack Fontaines **Autre texte** • *Règle du jeu de l'oie*	• **Des mots sur les animaux** chat, lapin, vache, étable, écurie, clapier… • Dire des consignes • Écrire une phrase sur un animal et sa maison	• Identifier les **mots** d'un texte • Repérer les différentes parties d'un texte en s'appuyant sur la **ponctuation** • Reconnaitre les **noms propres** et les **noms communs**	*Graphèmes* : a, i, u l, o, é r, f, t ou, e, p **Bilan 1**
Période 2	**Conte détourné humoristique** • *Le plus féroce des loups* Sylvie Poillevé **Autre texte à écouter** • *Une drôle d'histoire* (théâtre)	• **Les mots des contes** lutin, princesse, sorcière, chaudron, balai… • Raconter une histoire • Écrire une partie de conte	• Repérer et identifier **les déterminants** • Connaitre **le genre et le nombre des noms** • Identifier **les pronoms** *il* et *elle*	*Graphèmes :* m, v, ch au/eau, b, n d, an/am, en/em s/ss, s/z, on/om **Bilan 2**
Période 3	**Récit policier humoristique** • *Splat, agent secret* Rob Scotton **Autre texte à écouter ou à lire** • Une bande dessinée	• **Les mots du récit policier** énigmes, enquête, indices… • Argumenter, défendre un point de vue • Écrire une partie de récit policier	• Connaitre les **synonymes** et les **antonymes** • Identifier un **verbe** d'action	*Graphèmes* : eu/eur, g/ge, g/gu c/ç, c/qu/k, è/ê ai/ei/et, j, ph oi, br/cr/fr/gr/pr/tr, in/im **Bilan 3**
Période 4	**Texte documentaire** • *Les dinosaures* Cécile Jugla **Autre texte à écouter ou à lire** • Un article de journal	• **Les mots de la science** squelette, fossile, empreinte… • Expliquer, décrire • Écrire des devinettes	• Reconnaitre un **verbe** et son **sujet** • Repérer les récurrences des **terminaisons** du présent des **verbes du 1er groupe**	*Graphèmes* : oin, gn, y, ett/ell/ess/er/es, er/ez, h, ain/ein/aim, bl/cl/fl/gl/pl, y, ien/ion/ian/ieu/ier ill, *les lettres que l'on n'entend pas,* *les lettres* ent *qui ne font pas le son /en/* **Bilan 4**
Période 5	**Récit de vie** • *Souvenirs de Gibraltar* Laurence Gillot **Autre texte à écouter ou à lire** • Une poésie	• **Les mots des émotions** l'amour, l'espoir, la colère, la haine… • Raconter un film • Écrire en parlant des émotions	• Identifier **l'adjectif** • Savoir **accorder** l'adjectif **en genre et en nombre** • Connaitre **la chaine d'accords** dans le groupe nominal	*Graphèmes* : eil/eill, ail/aill, euil/euill, ouil/ouill t /s/, x, œu/œur, ch /k/, un/um *le pluriel des noms, quelques mots irréguliers* **Bilan 5** *Consolidations*

Écriture et entrainement à la fluence : fichier à photocopier.

Programmation de la Période 1

		Jour 1	Jour 2	Jour 3	Jour 4
Semaine 1	45 min	Vocabulaire des consignes (1)	Vocabulaire des consignes (2)	*Bonjour le CP !* (1)	*Bonjour le CP !* (2)
	30 min	Écriture	Écriture	Écriture	Écriture
	40 min		Graphème *a*	Graphème *i*	Graphème *u*
	5 min	Vocabulaire au quotidien	Vocabulaire au quotidien	Vocabulaire au quotidien	Vocabulaire au quotidien
	30 min		Entrainement / Remédiation	Entrainement / Remédiation	Entrainement / Remédiation
Semaine 2	45 min	*Bonjour le CP !* (3)	*Bonjour le CP !* (4)	*Mon chat Ouma* (1) Épisode 1	*Mon chat Ouma* (2) Épisode 1
	30 min	Écriture / Dictée	Écriture / Dictée	Écriture / Dictée	Écriture / Dictée
	40 min	Graphème *l* (1)	Graphème *l* (2)	Graphème *o* (1)	Graphème *o* (2)
	5 min	Vocabulaire au quotidien	Vocabulaire au quotidien	Vocabulaire au quotidien	Vocabulaire au quotidien
	30 min	Entrainement / Remédiation	Entrainement / Remédiation	Entrainement / Remédiation	Entrainement / Remédiation
Semaine 3	45 min	*Mon chat Ouma* (1) Épisode 2	*Mon chat Ouma* (2) Épisode 2	*Mon chat Ouma* (1) Épisode 3	*Mon chat Ouma* (2) Épisode 3
	30 min	Écriture / Dictée	Écriture / Dictée	Écriture / Dictée	Écriture / Dictée
	40 min	Graphème *é* (1)	Graphème *é* (2)	Graphème *r* (1)	Graphème *r* (2)
	5 min	Vocabulaire au quotidien	Vocabulaire au quotidien	Vocabulaire au quotidien	Vocabulaire au quotidien
	30 mn	Entrainement / Remédiation	Entrainement / Remédiation	Entrainement / Remédiation	Entrainement / Remédiation
Semaine 4	45 min	*Mon chat Ouma* (1) Épisode 4	*Mon chat Ouma* (2) Épisode 4	*Mon chat Ouma* (1) Épisode 5	*Mon chat Ouma* (2) Épisode 5
	30 min	Écriture / Dictée	Écriture / Dictée	Écriture / Dictée	Écriture / Dictée
	40 min	Graphème *f* (1)	Graphème *f* (2)	Graphème *t* (1)	Graphème *t* (2)
	5 min	Vocabulaire au quotidien	Vocabulaire au quotidien	Vocabulaire au quotidien	Vocabulaire au quotidien
	30 min	Entrainement / Remédiation	Entrainement / Remédiation	Entrainement / Remédiation	Entrainement / Remédiation
Semaine 5	45 min	*Mon chat Ouma* (1) Épisode 6	*Mon chat Ouma* (2) Épisode 6	*Mon chat Ouma* (1) Épisode 7	*Mon chat Ouma* (2) Épisode 7
	30 min	Écriture / Dictée	Écriture / Dictée	Écriture / Dictée	Écriture / Dictée
	40 min	Graphème *ou* (1)	Graphème *ou* (2)	Graphème *e* (1)	Graphème *e* (2)
	5 min	Vocabulaire au quotidien	Vocabulaire au quotidien	Vocabulaire au quotidien	Vocabulaire au quotidien
	30 min	Entrainement / Remédiation	Entrainement / Remédiation	Entrainement / Remédiation	Entrainement / Remédiation
Semaine 6	45 min	Bilan 1 Compréhension	Un autre texte : Règle du jeu de l'oie (1)	Un autre texte : Règle du jeu de l'oie (2)	Vocabulaire des animaux
	30 min	Écriture / Dictée	Écriture / Dictée	Écriture / Dictée (Bilan 1)	Écriture / Dictée (Bilan 1)
	40 min	Graphème *p* (1)	Graphème *p* (2)	Bilan 1 Étude code	Écrire une phrase
	5 min	Vocabulaire des animaux (Révision)	Vocabulaire des animaux (Révision)		
	30 min	Comptine à écouter	Oraliser un texte	Remédiation (Bilan compréhension)	Remédiation (Bilan code)

👁 Rr Rr R r

Fichier d'apprentissage du code pp. 14-15

Compétences :
- Connaitre le graphème *r* et ses différentes graphies.
- Établir la relation entre le graphème *r* et le phonème /r/.
- Associer le graphème *r* et les graphèmes déjà étudiés.
- Encoder des mots avec le graphème étudié.
- Situer le son /r/ dans un mot.
- Écrire la lettre *r* seule et en combinaison avec d'autres lettres.
- Déchiffrer des syllabes, des mots et des phrases.

Supports :
Fichier d'apprentissage du code pages 14-15, ardoise, feuille Séyès ou cahier d'écriture, cartes lettres (à télécharger).

De la lettre à la syllabe - Séance 1

Phase 1 ■ Discrimination visuelle

Collectif : 15 min

L'enseignant(e) affiche les prénoms des élèves qui possèdent la lettre *r* et demande aux élèves de trouver la lettre commune à tous ces prénoms.
Elle/Il peut aussi proposer des mots du fichier de lecture-compréhension issus des premières lectures de *Mon chat Ouma* : *cherche, endroit, pour, dormir.*
La lettre est nommée. À tour de rôle, les élèves indiquent la place de la lettre dans chaque prénom (ou dans chaque mot).
L'enseignant(e) écrit ensuite au tableau une suite de graphèmes déjà étudiés ainsi que la lettre *r* dans différentes graphies. Un(e) élève vient au tableau pour entourer le graphème *r*.

Phase 2 ■ Écriture de la lettre ■ Ardoise

Individuel : 5 min

L'enseignant(e) trace la lettre *r* au tableau entre deux lignes. Elle/Il commente son tracé en donnant verbalement des repères aux élèves.
Les élèves refont le geste de l'enseignant(e) en reprenant les paroles qui servent au guidage. Puis ils tracent la lettre sur leur ardoise.

Phase 3 ■ Fichier p. 14 ■ Individuel : 10 min

Compétence : Identifier et connaitre les différentes graphies du graphème isolé, dans des syllabes et dans des mots.

Les élèves réalisent les exercices 1 et 2.

Phase 4 ■ Oral ■ Collectif : 10 min

Compétence : Associer le graphème *r* et les graphèmes étudiés.

L'enseignant(e) mène un enseignement explicite de la combinatoire avec le graphème *r*.

Tout d'abord, elle/il présente les cartes des différents graphèmes étudiés : *a, i, u, l, o, é, r* (à télécharger sur le site trampoline.nathan.fr). Les élèves les nomment puis l'enseignant(e) procède à la composition de syllabes en associant deux par deux les graphèmes. L'enseignant(e) lit les syllabes en faisant apparaitre le mécanisme de la combinatoire et les élèves répètent.
Puis les élèves réalisent eux-mêmes la lecture des syllabes à voix haute.
Dans un dernier temps, ce travail se fait par binôme, les élèves composant eux-mêmes leurs syllabes avec leurs cartes lettres individuelles.

Différenciation : L'enseignant(e) regroupe quelques élèves pour reprendre la démarche d'explicitation.

De la syllabe au mot - Séance 2

Phase 1 ■ Oral ■ Collectif : 5 min

Rappel des apprentissages de la séance 1.
Avant d'ouvrir le fichier, un(e) élève rappelle le nom du graphème travaillé lors de la séance précédente et rappelle son tracé en le réalisant dans l'espace.
L'enseignant(e) présente à nouveau rapidement les syllabes étudiées lors de la séance 1 à l'aide des cartes.

Phase 2 ■ Fichier p. 14 ■ Individuel : 5 min

Exercice 3 :

Compétence : Lire des syllabes contenant le graphème *r*.

La classe lit à voix haute toutes les syllabes de l'exercice. Puis, individuellement, quelques élèves en lisent.

Différenciation : L'enseignant(e) peut faire varier le nombre des syllabes demandé à chaque élève.

Phase 3 ■ Fichier pp. 14-15 ■ Individuel : 20 min

Exercice 4 :

Compétence : S'entrainer au geste d'écriture de la lettre seule et en combinaison avec d'autres lettres.

L'enseignant(e) écrit une syllabe au tableau en commentant son tracé. Les élèves en réalisent aussitôt la copie.
Faire ainsi pour toutes les syllabes.
L'enseignant(e) veillera à proposer un complément d'écriture dans un cahier disposant d'un séyès adapté en début d'année (3 mm généralement).
Un entrainement spécifique et progressif est proposé dans le fichier à photocopier.

Différenciation :
Les élèves qui manifestent des difficultés dans le domaine du geste d'écriture peuvent travailler sur d'autres supports que le fichier en fonction de leurs besoins (support plus grand, aides à la tenue du crayon...).

Exercice 5 :

Compétences : Travailler la reconnaissance auditive ; Situer le son dans un mot.

Demander aux élèves d'expliquer le travail à faire. Lire la consigne. Faire nommer ou nommer les dessins. Articuler exagérément, si besoin. Puis les élèves travaillent en autonomie.
Mots illustrés : *réveil, crocodile, arrosoir, fourmi, girafe.*
Corrigé : ré – cro – ro/soir – four – rafe.

Exercice 6 :

Compétences : Identifier le nombre de syllabes orales ; Situer le son.

Demander aux élèves d'expliquer le travail à faire. Lire la consigne. Faire nommer ou nommer les dessins. Articuler exagérément, si besoin. Puis les élèves travaillent en autonomie.
Mots illustrés : *souris, parapluie, renard, kangourou.*
Corrigé : ris – ra – re/nard – rou.

Différenciation :
Mener un travail explicite avec les élèves en difficulté : frapper les syllabes et à l'oral, en situant le son /r/. Quand le phonème /r/ est localisé dans le mot, l'enseignant(e) écrit les syllabes décodables le contenant. L'enseignant(e) propose toujours l'aide du matériel « lettres » pour que l'élève manipule et procède par essais-erreurs.

Exercice 7 :

Compétence : Écrire la syllabe entendue.

Cet exercice peut être préparé en proposant une dictée de syllabes sur ardoise pour aider à l'écriture.
Ce n'est que la deuxième fois que les élèves rencontrent ce type d'exercice. Leur demander d'en rappeler sa réalisation. Les laisser chercher un peu puis réaliser le travail collectivement en explicitant.
Corrigé : ra – ri – ar – or – ro – ru.

Différenciation : L'enseignant(e) procède comme dans l'aide précédente mais demande, en plus, d'écrire la syllabe.

Exercice 8 :

Compétence : Utiliser des syllabes pour encoder.

Cet exercice permet à l'élève de manipuler les syllabes pour fabriquer des mots. C'est le dispositif choisi par l'enseignant(e) qui enrichira la situation : travail collectif en début d'année, travail en autonomie pour certains, travail avec étayage de l'enseignant(e) pour d'autres, travail par petits groupes avec possibilité de lancer des défis (trouver le maximum de mots, travailler en temps limité...).

Phase 4 ■ Du mot à la phrase ■ Fichier p. 15

Individuel : 10 min

La rubrique « Je lis » reprend des syllabes déjà lues, puis des mots et des phrases.
Procéder par catégories : d'abord les syllabes puis les mots et enfin les phrases. Adopter le même déroulement à chaque fois, à savoir une lecture par binômes en annonçant qu'il y aura peut-être des erreurs mais que cela sera repris collectivement.
L'enseignant(e) en profite pour circuler et apporter son aide.
La mise en commun de chaque lecture permet de valider.
Une relecture collective termine cette préparation à la lecture du soir.

in in
im im

Fichier d'apprentissage du code pp. 76-77

Compétences :
- Connaitre les graphèmes *in* et *im*.
- Établir la relation entre les graphèmes *in* et *im* et le phonème /in/.
- Associer les graphèmes *in, im* et les graphèmes déjà étudiés.
- Encoder des mots avec les graphèmes étudiés.
- Situer le son /in/ dans un mot.
- Écrire les graphèmes *in* et *im* seuls et en combinaison avec d'autres lettres.
- Comprendre et utiliser une règle orthographique : *m* devant *m, b, p.*
- Déchiffrer des syllabes, des mots et des phrases.

Supports :
Fichier d'apprentissage du code pages 76-77, ardoise, feuille Séyès ou cahier d'écriture, cartes lettres (à télécharger).

De la lettre à la syllabe - Séance 1

Phase 1 ■ Discrimination visuelle

Collectif et Binômes : 15 min

L'enseignant(e) propose aux élèves un travail par binômes. La demande est de catégoriser des étiquettes en fonction des graphèmes observés.
Les élèves ont en leur possession ces étiquettes :

matin	câlin	vingt	maline	cinq	impoli
saline	satin	alpine	lin	limpide	pimpant

La mise en commun des différents classements validera la présence du graphème *in*, la présence du graphème *im* et un sous-classement de *in* avec le graphème *in* qui ne se lit pas /in/.
Les différentes collections seront enrichies avec des mots de lecture ou du lexique des élèves à travers un affichage de classe.

Phase 2 ■ Écriture des lettres ■ Ardoise

Individuel : 5 min

L'enseignant(e) trace les lettres *in* et *im* au tableau entre deux lignes. Elle/Il commente son tracé en donnant verbalement des repères aux élèves.
Les élèves refont le geste de l'enseignant(e) en reprenant les paroles qui servent au guidage. Puis ils tracent les lettres sur leur ardoise (ou sur un cahier d'écriture).

Phase 3 ■ Fichier p. 76 ■ Individuel : 5 min

Compétence : Identifier et connaitre les différentes graphies des graphèmes isolés, dans des syllabes et dans des mots.

Les élèves réalisent les exercices 1 et 2.

Phase 4 ■ Oral et Écrit

Individuel ou Binômes : 15 min

Compétence : Associer les graphèmes *in, im* et les graphèmes étudiés.

L'enseignant(e) présente les cartes *in* et *im* (à télécharger sur le site trampoline.nathan.fr). Les élèves recherchent des combinaisons possibles avec les graphèmes déjà étudiés.
L'enseignant(e) propose, en fonction du niveau des élèves, un travail individuel ou par binômes.
Puis les élèves lisent à la classe les syllabes trouvées, à voix haute, en épelant les graphèmes utilisés. Les autres élèves valident.

Exercices 3 et 4 :

Compétences : Lire et écrire des syllabes.

Différenciation :
L'enseignant(e) regroupe quelques élèves pour reprendre la démarche d'explicitation.
L'entrainement sera prolongé par un temps d'écriture sur le cahier d'écriture dans lequel l'enseignant(e) aura préparé les modèles.

De la syllabe au mot - Séance 2

Phase 1 ■ Oral ■ Collectif : 5 min

Rappel des apprentissages de la séance 1.
Avant d'ouvrir le fichier, un(e) élève rappelle les graphèmes travaillés lors de la séance précédente. Un(e) autre relit rapidement les syllabes de l'exercice 3 et peut en proposer d'autres.

Phase 2 ■ Discrimination auditive ■ Encodage

Fichier pp. 76 et 77 et ardoise ■ Individuel : 15 min

Pour préparer la réalisation de cet exercice, l'enseignant(e) propose au préalable un entrainement sur ardoise. Chaque élève a inscrit sur son ardoise /in/ sur un côté et ~~/in/~~ de l'autre côté. L'enseignant(e) donne une liste de mots à l'oral (avec deux intrus), les élèves montrent le bon côté de l'ardoise et disent à quel endroit du mot ils entendent le son/in/.
Proposition de mots : *tambourin, pantalon, dindon, dimanche, guidon, matin, imperméable, cinquante, sapin, jardin.*

Exercice 5 :

Compétences : Travailler la reconnaissance auditive ; Situer le son dans un mot.

Demander aux élèves d'expliquer le travail à faire. Lire la consigne. Faire nommer ou nommer les dessins. Articuler exagérément, si besoin. Puis les élèves travaillent en autonomie.
Mots illustrés : *moulin, tambourin, chemin, pinceau, requin.*
Corrigé : *lin, rin, min, pin, quin.*

Exercice 6 :

Compétences : Encoder, utiliser des syllabes pour écrire un mot.

Corrigé : *tambourin, patin, imperméable.*

Différenciation :
L'enseignant(e) gère le groupe d'élèves en difficulté.
L'enseignant(e) a préparé des étiquettes portant les syllabes proposées. Elle/Il invite l'élève à lire chaque groupe de syllabes puis lui propose de constituer un mot et de le lire.
L'enseignant(e) propose l'aide du matériel « carte lettre » pour que l'élève manipule et procède par essais/erreurs.

Phase 3 ■ Connaitre une règle orthographique

Fichier p. 77 ■ Individuel : 10 min

Exercice 7 :

Compétences : Connaitre et utiliser une règle orthographique.

Cet exercice peut être préparé en utilisant une liste de mots (tableau de la séance 1, phase 1) pour catégoriser les graphies *in/im*.
Les élèves observent ensuite la liste proposée dans l'exercice 7, ils entourent la lettre qui suit *im* et font part de leurs observations. Ils notent les lettres *p* et *b*.
Pour consolider la connaissance de la règle, l'enseignant(e) propose à l'oral une série de mot pour lesquels les élèves disent s'ils écrivent *in* ou *im*.
Proposition de mots : *imbattable, incorrect, invisible, impossible, patin, imbuvable...*
Les élèves réalisent la fin de l'exercice 7.
Corrigé : *matin, impossible.*

Exercice 8 :

Compétence : Découper un mot par essais-erreurs en tenant compte du sens.

C'est un exercice que les élèves ont déjà rencontré en période 2 pour les graphèmes *en* et *on*.
L'objectif est de bien visualiser l'ensemble du mot pour procéder très vite au découpage des syllabes, ne pas systématiquement s'enfermer dans la lecture de la graphie *in* alors que les lettres *i* et *n* appartiennent à des syllabes différentes. L'élève procède par essais-erreurs mais plus il sera à l'aise en lecture, plus vite il anticipera sur le décodage du mot surtout si ce mot fait partie de son bagage lexical.

Pour aider à la compréhension de l'exercice, l'enseignant(e) écrit au tableau deux mots : *usine* et *félin*. Après explication des mots si besoin, elle/il prévient que certains mots peuvent piéger les élèves et leur demande quel peut être ce piège. Elle/Il fait de même avec les mots *imité* et *impoli*.
Demander aux élèves ce qu'ils constatent : quand le *n* ou le *m* sont suivis d'une voyelle, ils ne font pas le son /in/.
Les élèves passent ensuite à la réalisation de l'exercice en autonomie.
Corrigé : *câlin, simple, chemin.*

Différenciation :
L'enseignant(e) gère le groupe d'élèves en difficulté.
Elle/Il écrit chaque mot sur l'ardoise puis invite l'élève à « découper » oralement et physiquement en notant les arcs possibles des syllabes. L'élève lit selon son découpage et procède par essais-erreurs.

Exercice 9 :

Compétence : Écrire un mot en s'aidant des mots repères.

Les élèves ont déjà été amenés à réaliser cet exercice, dès la période 2. Leur rappeler que c'est l'image représentée devant le quadrillage qui indique le mot à écrire. Le nombre de cases correspond au nombre de lettres du mot. Les illustrations des bulles indiquent l'écriture de certains graphèmes. Les élèves peuvent aussi se reporter à la page 6 de leur fichier pour retrouver l'ensemble des mots-repères illustrés.
Corrigé : *moulin, timbre.*

Exercice 10 :

Compétence : Utiliser des syllabes pour encoder.

Cet exercice permet à l'élève de manipuler les syllabes pour fabriquer des mots. C'est le dispositif choisi par l'enseignant(e) qui enrichira la situation : travail collectif en début d'année, travail en autonomie pour certains, travail avec étayage de l'enseignant(e) pour d'autres, travail par petits groupes avec possibilité de lancer des défis (trouver le maximum de mots, travailler en temps limité...).
Mots possibles : *singe, sapin, patin.*
Remarque : D'autres mots sont possibles mais ils ne contiennent pas les graphèmes étudiés (*sage, page*).

Phase 4 ■ Du mot à la phrase ■ Fichier p. 77

Individuel : 10 min

La rubrique « Je lis » reprend des syllabes déjà lues, puis des mots et des phrases.
Procéder par catégories : d'abord les syllabes puis les mots et enfin les phrases. Adopter le même déroulement à chaque fois, à savoir une lecture par binômes en annonçant qu'il y aura peut-être des erreurs mais que cela sera repris collectivement.
L'enseignant(e) en profite pour circuler et apporter son aide.
La mise en commun de chaque lecture permet de valider.
Une relecture collective termine cette préparation à la lecture du soir.

Mon chat Ouma - Épisode 1

Mon chat Ouma est une histoire écrite sous forme de randonnée. Le personnage principal, le chat Ouma, part poser la même question aux différents habitants de la ferme : « Je peux dormir avec toi ? »
Cette écriture simple et répétitive s'apparente à celle d'une chanson et de son refrain.
Le travail de la compréhension s'effectue grâce au travail sur le vocabulaire rencontré, sur les éléments du récit (personnages, lieux) et son organisation (structure répétitive). La compréhension explicite des stratégies de lecture mises en œuvre (émission et validation d'hypothèses, réalisation d'inférences, compréhension de l'implicite) et la découverte des règles qui régissent la langue écrite viennent renforcer ce travail. Ces dernières sont en étroite continuité avec celles de la partie précédente « Bonjour le CP ! ». En effet, tout au long des 7 épisodes, les élèves travailleront sur le repérage dans un texte, l'identification des dialogues, la notion de phrase, de mot, de nom (nom commun et nom propre, noms féminin et masculin).
Les activités orales (décrire, jouer, raconter) jouent un grand rôle dans la compréhension de l'histoire. Elles peuvent être proposées aux élèves comme finalité de séance, mais aussi être utilisées à différents moments de chaque séance pour entrainer les élèves à se faire une représentation de l'histoire.

Compétences :
- Comprendre le début d'une histoire.

Oral
- Acquérir du vocabulaire.
- Décrire à partir d'une illustration.

Stratégies de lecture
- Se repérer sur une couverture de livre.
- Émettre des hypothèses à partir d'une couverture de livre.
- Valider ces hypothèses.

Étude de la langue
- Reconnaitre les noms propres.

Supports :
Album *Mon chat Ouma*, fichier de lecture compréhension pages 6-7.

Séance 1

Lors de la séance 1. Vocabulaire au quotidien (1) : *ferme – niche.*
Dans la journée, en dehors de la séance de lecture.
Vocabulaire au quotidien (2) : *ferme – niche.*
Déroulement : se reporter aux pages 5 et 6.

Phase 1 ■ Album couverture et pages 2 et 3

Collectif : 15 min

Compétences :
- Prendre la parole pour décrire.
- Formuler des hypothèses sur l'histoire.

La couverture
Description :
- Présenter la page de couverture et laisser les élèves la décrire.
- Montrer le titre, l'auteur, l'illustrateur et l'éditeur. Faire rappeler la signification de ces termes.

Analyse :
- Questionner les élèves :

– *Quelle histoire allons-nous découvrir ?*
– *Où se passe-t-elle ?*
– *Quels sont les personnages ?*
– *Y a-t-il plusieurs chats à votre avis ?*
– *Que signifient les bulles qui partent de la tête du garçon ?*

Vocabulaire attendu : *chat – enfant – garçon – chambre – lit.*
Avant de passer à la lecture du premier épisode, demander à quelques élèves de faire la présentation du livre à partir des éléments de la couverture : titre, auteur, illustrateur, éditeur.

Album pages 2 et 3
Se faire une représentation du début de l'histoire :
- Avant d'ouvrir le livre, l'enseignant(e) lit le texte de la page 2 aux élèves : « Mon chat Ouma cherche un endroit pour dormir. »

Puis, demander aux élèves de raconter avec leurs mots le début de l'histoire.
Leur demander comment ils imaginent l'endroit où se trouve le chat Ouma. *Quelle image ont-ils en tête ? Le voient-ils dans une maison ? dans une ville ? à la campagne ? dans un désert ? avec d'autres animaux ? avec des hommes ?*
- Découverte de l'illustration pages 2 et 3 de l'album. Préciser l'endroit où se déroule l'histoire (campagne, ferme) en s'appuyant sur les éléments dessinés (champs, herbe, tracteur, foin, animaux en cage).

Lecture :
- Nouvelle lecture du texte par l'enseignant(e).
- Confronter ce texte avec les hypothèses émises à partir de la couverture.
- Annoncer aux élèves qu'ils vont retrouver cette partie de l'album dans leur fichier.

Phase 2 ■ Fichier pages 6 et 7 ■ Collectif : 15 min

Compétences :
- Comprendre une illustration.
- Se repérer dans le support de travail du fichier de l'élève.
- Retrouver un mot dans une phrase.

Les illustrations
- Laisser les élèves comparer l'illustration de la page d'ouverture de la période 1 (page 5) et celle de l'épisode 1 (page 6) avec l'illustration des pages 2-3 de l'album.
- Constater que celle de la page d'ouverture ne permet pas de voir où la scène se passe, contrairement à celle de la page 6 (similaire à celle de l'album mais avec un autre cadrage : une partie est manquante). Ce sont les mêmes personnages mais vus en gros plan.
- Identifier avec les élèves le support de travail : la zone sur fond vert qui comporte à la fois une illustration et des écrits.

Le texte
- Lecture du texte de l'épisode 1 par l'enseignant(e) en séparant bien les mots.
- Les élèves suivent avec leur doigt sur le texte du fichier page 6.
- Demander aux élèves ce qu'ils repèrent dans l'écrit. On peut s'attendre à ce qu'ils disent qu'il y a une phrase et qu'elle est composée de 8 mots.

Quelques mots peuvent être connus de certains élèves : *chat, un*.

Phase 3 ■ Fichier page 6

Collectif : 5 min ■ Individuel : 10 min

Exercice 1 :

Compétence : Acquérir du vocabulaire.

- Lire la consigne aux élèves. Rappeler le texte de l'histoire.
- Correction collective : les élèves confrontent leurs réponses et définissent ainsi la notion d'endroit. On peut remplacer ce mot par le mot *lieu*. Quand on parle de l'endroit où on se trouve, on dit « ici » ou « là » (ce dernier mot sera revu dans le texte de la période suivante *Le plus féroce des loups*) et « là-bas / là-haut » pour un lieu où l'on n'est pas.

Exercice 2 :

Compétence : Identifier le personnage et ses intentions.

- Laisser les élèves découvrir les deux parties de l'exercice 2. Les laisser faire des hypothèses sur la nature du travail à réaliser.
- Lire les deux consignes et laisser les élèves répondre.
- Correction orale en demandant aux élèves de raconter le début de l'histoire.

Séance 2

Lors de la séance 2. Vocabulaire au quotidien (3) : *ferme – niche.*
Dans la journée, en dehors de la séance de lecture.
Vocabulaire au quotidien (4) : *ferme – niche.*
Déroulement : se reporter aux pages 5 et 6.

Phase 1 ■ Stratégies de lecture ■ Fichier page 7

Collectif : 5 min ■ Individuel : 5 min

Compétences :
- Savoir raconter le début de l'histoire.
- Émettre des hypothèses sur la suite du récit.

Un(e) élève rappelle le début de l'histoire. Ses camarades l'écoutent sans l'interrompre puis peuvent ensuite compléter son récit.

Exercice 3 :
- À la suite du rappel de récit par un ou plusieurs élèves, l'enseignant(e) lit la consigne de l'exercice et laisse les élèves entourer un endroit. Les élèves peuvent éventuellement échanger au préalable leurs connaissances sur les habitudes des chats : ils aiment la tranquillité, ils aiment la chaleur, le confort…
- La validation se fera lors des épisodes suivants, amenant les élèves à comparer un récit imaginaire avec un récit réaliste.

Phase 2 ■ Connaissance de la langue écrite

Fichier p. 7 ■ Collectif : 10 min ■ Individuel : 10 min

Exercice 4 :

Compétences :
- Repérer un nom propre.
- Comparer deux mots écrits.

- Demander aux élèves comment s'appelle le chat. Ils cherchent donc le mot « Ouma ».

Projeter le texte de l'épisode et demander qui peut montrer le mot « Ouma ». À chaque fois, les élèves explicitent comment ils le trouvent dans la phrase.
Ce peut être par sa majuscule, par sa place dans la phrase (3e mot), parce que c'est le même que sur la couverture, parce qu'il commence par *ou*, etc.
Puis les élèves réalisent l'exercice 4 du fichier.
- C'est le moment de faire expliciter, et de redire de la manière la plus claire possible, comment s'effectue la comparaison de deux mots (compétence travaillée dans la première partie du fichier) :

– Deux mots sont les mêmes s'ils sont écrits avec les mêmes lettres dans le même ordre.
– Je dois comparer la première lettre qui est celle à gauche dans le mot, puis la deuxième, puis toutes les lettres jusqu'à la fin du mot.
- Faire verbaliser la stratégie de comparaison par les élèves qui se sont trompés.
- Proposer d'autres mots à comparer : *chat, chut, catch, char.*

Exercice 5 :

Compétence : Écrire son prénom avec la majuscule.

Lire la consigne aux élèves. Écrire si besoin, à la demande des élèves, certaines majuscules au tableau.

Exercice 6 :

Compétence : Repérer un nom propre.

Cet exercice généralise la règle d'écriture du nom propre découverte par l'observation du nom du personnage et du prénom de l'élève.
La plupart des mots de l'exercice n'étant pas encore décodables par les élèves, le seul indice permettant le repérage est la majuscule initiale du mot.

Exercice 7 :

Compétence : Repérer le titre sur une couverture de livre.

• Faire identifier les illustrations : des couvertures de livre. Les élèves retrouveront facilement celle de leur album de lecture.
• Faire rappeler oralement les éléments que l'on trouve sur une couverture : titre, nom de l'auteur et de l'illustrateur, maison d'édition.
• Laisser les élèves souligner le titre *Mon chat Ouma* puis procéder à une mise en commun en repérant les autres titres. Amener ainsi les élèves à donner leurs critères de reconnaissance : place sur la couverture, taille des caractères d'imprimerie.

Phase 3 ■ Oral ■ Fichier page 7

Binômes et Individuel : 15 min

Exercice 8 :

Compétence : Décrire une illustration.

• Préciser aux élèves qu'il s'agit de décrire les différents endroits et les habitants.
Cela amène les élèves à réinvestir le vocabulaire vu lors de l'épisode.
• Les élèves réalisent la tâche tout d'abord par groupe de deux pour que tous prennent la parole.
Ensuite, des élèves la font devant le groupe classe, éventuellement sur plusieurs moments de classe pour augmenter le nombre des prestations.
• Lors de chaque description, les auditeurs sont invités à pointer sur l'illustration les éléments décrits. Cela peut conduire à réaliser que l'on peut organiser son récit en choisissant un ordre de présentation des différents éléments du dessin.

Mon chat Ouma - Épisode 3

Compétences :
• Comprendre un paragraphe de l'histoire.
Oral
• Acquérir du vocabulaire.
• Faire le rappel d'un récit.
• Jouer une scène.
Stratégies de lecture
• Réaliser une inférence pour identifier les pensées des personnages.
• Émettre des hypothèses sur la suite du récit.
Étude de la langue
• Reconnaitre une phrase de dialogue.
• Identifier les mots du texte.
Supports :
Album *Mon chat Ouma*, fichier de lecture-compréhension pages 10-11.

Séance 1

Lors de la séance 1. Vocabulaire au quotidien (1) : *clapier – grille – cour.*
Dans la journée, en dehors de la séance de lecture.
Vocabulaire au quotidien (2) : *clapier – grille – cour.*
Déroulement : se reporter aux pages 5 et 6.

Phase 1 ■ Album pages 6 et 7

Collectif : 15 min

Compétences :
• Prendre la parole pour décrire.
• Formuler des hypothèses sur l'histoire.
• Comprendre un énoncé oral.

Rappel des épisodes précédents
Avant d'ouvrir l'album :
• Demander aux élèves de se rappeler le début de l'histoire sans ouvrir l'album.
• Demander aux élèves de faire des hypothèses sur la suite de l'histoire. Les propositions des élèves peuvent être notées au tableau.
Avec l'album :
• L'enseignant(e) relit le texte des pages 2 et 4.
Analyse :
Les élèves découvrent l'illustration de la page 7 et la décrivent.
Vocabulaire attendu : *clapier – grille – grillage – serrure – poignée.*
Anticipation de la lecture :
• Questionner les élèves : *En regardant l'illustration et son texte, avez-vous une idée de ce qui va se passer ?*
• Laisser les élèves s'exprimer rapidement.
• L'enseignant(e) recense leurs hypothèses sur une affiche ou au tableau pour les vérifier ensuite lors de la lecture du texte. Voir les remarques concernant la participation orale, pages 4 et 5 de l'introduction générale.

Lecture :
• Lecture du texte de l'épisode 3 par l'enseignant(e).
• Les élèves reformulent avec leurs mots ce qu'ils ont compris de l'épisode 3 et valident ou non leurs hypothèses.
• L'enseignant(e) reformule à son tour ce qu'ont dit les élèves en insistant sur les éléments que l'on retrouvera à chaque épisode :
– les personnages ;
– le lieu ;
– la question d'Ouma ;
– la justification de l'animal interrogé ;
– le sentiment exprimé par Ouma.
• Si besoin, l'enseignant(e) peut faire préciser certains points en posant quelques questions :
– *Où se passe cet épisode ?*
– *Que signifient les bulles qui partent de la tête du lapin ?*
– *Pourquoi Ouma semble-t-il malheureux ?*
– *Que veut faire Ouma en haut, à gauche de l'illustration ?*

Phase 2 ■ Fichier page 10

Collectif : 15 min ■ Texte projeté au tableau

Compétences :
• Comprendre un énoncé oral.
• Acquérir du vocabulaire
• Établir des relations entre l'oral et l'écrit

Avant de lire le texte :
• Amener les élèves, oralement, à se souvenir et à nommer les apprentissages réalisés au cours de l'épisode 2 :
– Retrouver des mots identiques dans un texte ou un tableau.
– Repérer les marques d'un dialogue.
– Comparer des phrases.
– Écrire une phrase en mettant les étiquettes dans l'ordre.
– Retrouver les lettres d'un mot.
– Écrire des mots.
– Distinguer des mots avec *la*.
– Lire des mots.

L'illustration

• Les élèves sont invités à identifier le clapier et à faire le lien avec l'épisode découvert dans l'album. À partir de cet élément, les élèves reformulent leur compréhension de l'histoire et explicitent la relation de causalité : *Ouma ne peut pas dormir avec le lapin parce que...*

Lecture :

• Lecture du texte de l'épisode 3 par l'enseignant(e).

• Les élèves suivent avec leur doigt sur le texte du fichier page 10.

• L'enseignant(e) demande aux élèves ce qu'ils repèrent dans cet écrit.

Un grand nombre d'élèves peut prendre la parole. Toutes les connaissances élaborées lors de l'épisode 2 peuvent être réinvesties.

On peut s'attendre à ce que les enfants disent :

– qu'ils connaissent des mots (le nom des personnages *Ouma* et peut être *lapin* dont ils auront localisé l'écrit par similitude avec l'emplacement de *poule* tout comme quelques mots appris (*le, la, un, chat*) et d'autres mots reconnus par le fait que les épisodes 2 et 3 sont très semblables : *Dans, demande, je, peux, dormir, avec, toi, non, j'aurais, aimé, dormir, dit, en, partant.*

– que les paroles des personnages sont les phrases qui sont précédées par un tiret ; que la première phrase est dite par le chat, la deuxième par le lapin, la troisième par le chat.

Toutes les remarques des élèves sont notées sur le texte projeté au tableau (en les entourant, surlignant, etc.).

Reconnaissance de mot :

• L'enseignant(e) lit la consigne : *Colorie le mot « le » dans le texte.* Le mot *le* n'est sans doute pas déjà décodable à ce moment de l'année mais les élèves le rencontrent souvent et connaissent ce mot.

À l'oral, les élèves peuvent se souvenir du mot qui accompagnait « le » dans l'épisode : *le chat* et rechercher d'autres mots qui sont accompagnés par *le* : *le clapier, le perchoir, le garçon...*

Laisser un court temps individuel de recherche puis un(e) élève vient montrer le mot *le* sur le support collectif.

• Les élèves rappellent ensuite le lieu où se passe l'épisode 3 et ils réalisent l'exercice 1 du fichier qui présente plusieurs endroits dont certains sont des représentations possibles du mot *cour.*

Phase 3 ■ Fichier page 10

Collectif : 5 min ■ Individuel : 10 min

Les élèves retrouvent les exercices 2, 3 et 4 sous la même forme que dans l'épisode précédent. Cela doit leur permettre de travailler en autonomie.

Pour les trois exercices, on procèdera de la même façon.

• Lire la consigne et laisser les élèves répondre. Les élèves travaillent individuellement.

• Correction orale. Les élèves sont invités à justifier leur réponse en faisant référence au texte. On peut aussi revenir sur l'illustration du texte dans l'album.

Exercice 2 :

Compétence : Identifier le personnage.

Exercice 3 :

Compétence : Identifier le lieu de l'histoire.

Exercice 4 :

Compétence : Comprendre une relation de causalité.

Différenciation : Les élèves peuvent se reporter à l'album pour avoir l'aide de l'illustration.

Séance 2

Lors de la séance 1. Vocabulaire au quotidien (3) : *clapier – grille – cour.*
Dans la journée, en dehors de la séance de lecture.
Vocabulaire au quotidien (4) : *clapier – grille – cour.*
Déroulement : se reporter aux pages 5 et 6.

Phase 1 ■ Stratégies de lecture ■ Fichier page 11

Collectif : 5 min ■ Individuel : 5 min

Compétences :

• Réaliser une inférence pour comprendre le sentiment d'un personnage.

• Émettre des hypothèses sur la suite du récit.

• Un(e) élève rappelle le début de l'histoire. Ses camarades l'écoutent sans l'interrompre. Quand il a fini, ils peuvent alors, si besoin, compléter son récit.

• Les élèves retrouvent les exercices 5 et 6 sous la même forme dans l'épisode précédent. Cela doit leur permettre de travailler en autonomie.

Exercice 5 :

Compétence : Réaliser une inférence.

• L'enseignant(e) lit la question. Les élèves évoquent la signification des trois images parmi lesquelles ils doivent choisir une réponse.

• L'enseignant(e) fait rappeler les précisions données lors de l'épisode précédent pour comprendre le sentiment de déception et le distinguer des deux autres ainsi que l'indice donné par le texte pour réaliser l'inférence : le mot *dommage*.

• Les élèves peuvent rechercher d'autres moyens de signifier le même sentiment : « Je n'ai pas de chance », « Je suis déçu(e) », « Zut, alors ! »...

Exercice 6 :

Compétence : Émettre des hypothèses sur la suite du récit.

Rappeler aux élèves que le but n'est pas ici de donner une réponse exacte mais de s'entrainer à avoir une idée de la suite. Ils pourront comparer leur idée à celle de l'auteur quand ils liront la suite de l'histoire.

Image 1 : Ouma va quitter la maison.

Image 2 : Ouma va rencontrer un autre personnage.

Image 3 : Ouma va essayer de monter sur le perchoir.

Phase 2 ■ Connaissance de la langue écrite

■ Fichier p. 11 ■ Collectif : 10 min ■ Individuel : 10 min

Exercice 7 :

Compétences :
- Repérer les marques d'un dialogue.
- Repérer une phrase de dialogue dans un texte.

• Lors de l'épisode précédent, le travail a été mené par l'enseignant(e) devant les élèves. Demander aux élèves de rappeler la démarche qui leur permet :
- de repérer les dialogues du texte grâce aux tirets.
- de repérer les phrases dites par Ouma puisqu'il parle en premier puis en dernier.

Rappel : *Pour repérer les dialogues d'un texte, je repère les tirets qui indiquent que les personnages parlent. L'ordre des paroles suit l'organisation du texte. La première parole est celle qui est le plus haut dans le texte, la dernière celle qui est le plus bas dans le texte.*

• Les élèves réalisent ensuite l'exercice sur leur fichier.

Différenciation :
Certains élèves peuvent être réunis pour reprendre la phase orale d'explicitation avec l'enseignant(e). Les autres peuvent travailler à deux.

Exercice 8 :

Compétence : Reconnaitre les mots d'une phrase.

• Les élèves ne savent pas encore lire tous les mots d'une phrase mais ils ont déjà des connaissances sur la structure de la phrase ; certaines ont été travaillées lors de la partie *Bonjour le CP.*

• La phrase *Je peux dormir avec toi ?* est projetée au tableau et lue par l'enseignant(e).
Les élèves sont invités à dire tout ce qu'ils savent de cette phrase.
On attend :
- C'est une phrase du texte.
- C'est Ouma qui la prononce.
- C'est une question.

Rechercher avec les élèves la justification de leurs propos en se reportant au texte et en rappelant les règles de l'écrit (emploi de la majuscule, ponctuation).

• Cacher l'écrit, prononcer la phrase et demander aux élèves : *Si je dis cette phrase, pouvez-vous savoir combien elle comporte de mots ?*
Puis en montrant l'écrit : *Comment le texte permet de voir le nombre de mots de la phrase ?*
Parce que les mots sont séparés par des espaces.

• Les élèves réalisent l'exercice 8 individuellement.
Rapide correction collective.

Différenciation :
Après avoir matérialisé les espaces, les élèves peuvent ensuite entourer les différents mots de la phrase donnée en exercice.

Phase 3 ■ Oral ■ Fichier page 11

Binômes et Individuel : 15 min

Exercice 9 :

Compétences :
- Jouer une scène.
- Exprimer sa compréhension de l'histoire.

• Collectivement, faire rappeler le nom des deux personnages de l'épisode et leurs paroles.
Les élèves travaillent par deux. Ils s'organisent en équipes de quatre ; soit deux groupes de deux pour alterner jeu et observation et mettre ainsi les élèves dans une attitude de réflexion, d'échange et d'entraide.
Dans chaque binôme, l'un est Ouma, l'autre le lapin.

• Les élèves, aidés par l'enseignant(e), rappellent la liste des critères de réussite déterminés lors de la séance précédente.

• Au bout de 5 minutes, des élèves volontaires viennent jouer devant la classe.
L'enseignant(e) veille à faire respecter un cadre sécurisant pour tous. Elle/Il demande aux auditeurs de relever, dans le jeu du binôme entendu, ce qui a été réussi et de réfléchir à d'éventuelles propositions d'amélioration.

• Au cours des « représentations », la liste des critères de réussite peut être précisée, complétée.

• Plusieurs moments de jeu peuvent être programmés dans la journée. Le même travail étant proposé lors des épisodes suivants, tous les binômes doivent avoir la possibilité d'être entendus au moins une fois par la classe entière.

Mon chat Ouma - Épisode 7

Compétences :
• Comprendre un paragraphe de l'histoire.
• Identifier les personnages et leurs pensées.
Oral
• Acquérir du vocabulaire.
• Faire le rappel d'un récit.
• Savoir décrire une illustration.
• Raconter une histoire.
Stratégies de lecture
• Mémoriser les éléments principaux de l'histoire et leur chronologie.
Étude de la langue
• Identifier les noms propres.
• Repérer les phrases dans un texte.
Supports :
Album *Mon chat Ouma*, fichier de lecture-compréhension pages 18-19.

Séance 1

Lors de la séance 1. Vocabulaire au quotidien (1) : *niche*.
Dans la journée, en dehors de la séance de lecture.
Vocabulaire au quotidien (2) : *niche*.
Déroulement : se reporter aux pages 5 et 6.

Phase 1 ■ Album pages 14 et 15

Collectif : 15 min

Compétences :
• Prendre la parole pour décrire.
• Formuler des hypothèses sur l'histoire.
• Comprendre un énoncé oral.

Rappel des épisodes précédents
Avant d'ouvrir l'album :
• Demander aux élèves de se rappeler de l'histoire depuis le début et de la raconter, sans ouvrir l'album.
• Demander aux élèves de faire des hypothèses sur la fin de l'histoire (épisode 7). Les propositions des élèves peuvent être notées au tableau.
Avec l'album :
• L'enseignant(e) relit le texte de l'épisode précédent page 12.
Analyse :
Les élèves découvrent l'illustration de la page 15 et la décrivent.
Vocabulaire attendu : *chien – niche – nuit – dormir – lune.*
Anticipation de la lecture :
• Questionner les élèves : *En regardant l'illustration et son texte, avez-vous une idée de ce qui va se passer ?*
• Laisser les élèves s'exprimer rapidement.
• L'enseignant(e) recense leurs hypothèses sur une affiche ou au tableau, pour les vérifier ensuite lors de la lecture du texte. Voir les remarques concernant la participation orale pages 4 et 5 de l'introduction générale.

Lecture :
• Lecture du texte de l'épisode 7 par l'enseignant(e).
• Les élèves reformulent avec leurs mots ce qu'ils ont compris de l'épisode 7 et valident ou non leurs hypothèses.
• L'enseignant(e) reformule à son tour ce qu'ont dit les élèves.

Phase 2 ■ Fichier page 18

Collectif : 15 min ■ Texte projeté au tableau

Compétences :
• Comprendre un énoncé oral.
• Acquérir du vocabulaire.
• Établir des relations entre l'oral et l'écrit.

Avant de lire le texte :
L'exercice 1 présente aux élèves les différentes représentations d'une niche.
Les élèves réalisent l'exercice.
Puis l'exercice se prolonge par une phase orale où les élèves décrivent ce qu'ils ont relié et l'aspect que prend la niche dans chaque cas.
Lecture :
• Lecture du texte de l'épisode 7 par l'enseignant(e).
• Les élèves suivent avec leur doigt sur le texte du fichier page 18.
• L'enseignant (e) demande aux élèves ce qu'ils repèrent dans cet écrit.
Un grand nombre d'élèves peut prendre la parole. Toutes les connaissances élaborées lors des épisodes précédents peuvent être réinvesties.
On peut s'attendre à ce que les élèves disent :
– qu'ils connaissent des mots (en particulier les noms propres *Ouma*, *Raoul* et les déterminants *le* et *la*).
– que les paroles des personnages sont les phrases précédées par un tiret.
– qu'il n'y a qu'une seule phrase de dialogue : ce sont les paroles du chien.
– qu'il n'y a ni point d'exclamation ni point d'interrogation.

Toutes les remarques des élèves sont portées sur le texte projeté au tableau (en les entourant, surlignant, etc.).

Reconnaissance de mot :

• Le mot *est* n'est sans doute pas encore décodable à ce moment de l'année mais les élèves le rencontrent souvent.

• L'enseignant(e) lit la consigne : *Colorie le mot « est » dans le texte.*

À l'oral, les élèves peuvent se souvenir de la phrase avec *est* de l'épisode : *Il est tard* et proposer d'autres phrases que l'enseignant(e) écrira au tableau : *il est beau ; il est fort ; il est bleu…*

• Laisser un court temps individuel de recherche puis un(e) élève vient montrer le mot sur le support collectif.

Phase 3 ■ Fichier page 18

Collectif : 5 min ■ Individuel : 10 min

Compétence : Comprendre un énoncé oral.

Les élèves retrouvent les exercices 2 et 3 sous la même forme que dans l'épisode précédent. Cela doit leur permettre de travailler en autonomie. Pour les deux exercices, on procèdera de la même façon.

• Lire la consigne et laisser les élèves répondre. Les élèves travaillent individuellement.

• Correction orale. Les élèves sont invités à justifier leur réponse en faisant référence au texte. On peut aussi revenir sur l'illustration du texte dans l'album.

Exercice 2 :

Compétence : Identifier le personnage.

Exercice 3 :

Compétence : Identifier le lieu de l'histoire.

Différenciation : Les élèves peuvent se reporter à l'album pour avoir l'aide de l'illustration.

Séance 2

Lors de la séance 2. Vocabulaire au quotidien (3) : *niche.*
Dans la journée, en dehors de la séance de lecture.
Vocabulaire au quotidien (4) : *niche.*
Déroulement : se reporter aux pages 5 et 6.

Phase 1 ■ Stratégies de lecture ■ Fichier page 19

Collectif : 5 min ■ Individuel : 5 min

Un(e) élève rappelle le début de l'histoire. Ses camarades l'écoutent sans l'interrompre. Quand elle/il a fini, ils peuvent alors, si besoin, compléter son récit.

Exercice 4 :

Compétence : Réaliser une inférence.

La forme de l'exercice est connue ; les élèves travaillent en autonomie.

Exercice 5 :

Compétence : Mémoriser l'ordre d'arrivée des personnages.

• Laisser les élèves se rappeler l'histoire pendant quelques minutes sans consulter leur fichier ni l'album.

Puis une ou des propositions sont notées au tableau. Elles sont validées en consultant l'album.

• On recherche avec les élèves un moyen de se souvenir de l'ordre des personnages.

Puis la trace au tableau est effacée, l'album fermé et les élèves répondent sur leur fichier.

Corrigé : *Ouma 1, la poule 2, le lapin 3, le perroquet 4, le poisson 5, Momo 6, le chien 7.*

Différenciation : Les élèves qui n'arrivent pas à mémoriser se reportent à l'album.

Exercice 6 :

Compétence : Mémoriser la chronologie de l'histoire (les personnages et le lieu où ils dorment).

• Reprendre à l'oral la succession des personnages. Les élèves rappellent où chacun dort.

• Donner la parole à plusieurs élèves puis laisser la classe travailler sur le fichier.

Différenciation : Les élèves travaillent par binômes.

Corrigé :

dans le jardin	*dans la cour*	*dans le salon*	*dans la salle à manger*	*dans la chambre*
la poule	le lapin	le perroquet	le poisson	Momo
le poulailler	le clapier	la cage	le bocal	le lit

Phase 2 ■ Connaissance de la langue écrite

Fichier p. 19 ■ Collectif : 10 min ■ Individuel : 10 min

Compétences :
• Repérer un nom propre grâce à sa majuscule.
• Connaitre les différents points de ponctuation et leur signification.

Exercice 7 :

Compétence : Repérer un nom propre grâce à sa majuscule.

• L'exercice reprend les noms propres vus au cours de l'histoire (Ouma, Momo, Raoul) ainsi que le nom de la poule, découvert lors d'un exercice sur les noms propres (Lili), et ceux d'autres personnages.

• Avant de laisser les élèves travailler, leur demander ce qu'est un nom propre et comment on le repère à l'écrit.

Corrigé : *Ouma – Momo – Raoul – Lili – Pompon – Coco.*

Exercice 8 :

Compétence : Repérer la dernière phrase d'un texte.

• Faire rappeler que l'on lit de haut en bas et qu'une phrase commence par une majuscule et se termine par un point.
• Les élèves travaillent individuellement puis viennent montrer leur réponse sur le support collectif en explicitant leur démarche.

Phase 3 ■ Oral ■ Fichier page 19

Binômes et Individuel : 15 min

Compétences :
• Raconter une histoire.
• Exprimer sa compréhension de l'histoire.

Exercice 9 :
• Inviter les élèves à se reporter au tableau de l'exercice 6. Il rappelle la chronologie de l'arrivée des personnages dans l'histoire avant le dernier épisode du chien Raoul.
• Faire rappeler la structure récurrente des épisodes 2 à 6. Rappeler la modification des paroles d'Ouma quand il parle à Momo. Ce changement annonce la fin de l'histoire.
• Quelques élèves présentent alors oralement la trame de l'histoire.
Puis, comme d'habitude, les élèves travaillent par deux. Chacun raconte l'histoire à l'autre pour alterner récit et écoute et mettre ainsi les élèves dans une attitude de réflexion, d'échange et d'entraide.
Au bout de 5 minutes, des élèves volontaires viennent jouer devant la classe.
• L'enseignant(e) veille à faire respecter un cadre sécurisant pour tous. Elle/Il demande aux auditeurs d'observer si :
– l'histoire a été bien comprise ;
– les personnages sont tous dans le récit et dans le bon ordre.
Les élèves peuvent aussi retenir ce qui a été bien réussi et réfléchir à d'éventuelles propositions d'amélioration.
• Au cours des « représentations », la liste des critères de réussite peut être précisée, complétée.
On pourra souligner l'intérêt de parler des pensées des personnages rencontrés par Ouma. Elles s'expriment dans le texte mais sont rendues plus explicites par l'illustration de l'album.
• Plusieurs moments de jeu peuvent être programmés dans la journée. Un projet de présentation à un auditoire extérieur à la classe peut être envisagé : d'autres classes, parents, médiathèque, etc.

Vocabulaire des animaux

Compétence : Acquisition de lexique : habitats d'animaux.
Support : Fichier de lecture-compréhension page 20.

Tout au long de la période *Quelle histoire !* des mots de vocabulaire ont été notés sur des affiches et travaillés 5 minutes chaque jour (voir les conseils pour faire acquérir le vocabulaire au quotidien pages 5-6).

Phase orale ■ Fichier page 20 ■ Collectif : 20 min

Exercice 1 :
Annoncer l'objectif de la séance : « apprendre et retenir des mots pour désigner les habitats des différents animaux ».
Les élèves sont invités à rappeler oralement les habitats des animaux de l'histoire. Puis ceux de l'illustration du fichier page 20. Les mots nouveaux sont portés avec leur définition sur les affiches de vocabulaire.

Poulailler → lieu où vivent les poules.
Clapier → lieu où vivent les lapins.
Bergerie → lieu où vivent les moutons.
Écurie → lieu où vivent les chevaux.
Étable → lieu où vivent les vaches.
Porcherie → lieu où vivent les cochons.
Nid → lieu où vivent les oiseaux.
Tanière → lieu où vivent les loups.

D'autres noms d'habitats peuvent être ajoutés oralement.

Phase écrite ■ Fichier page 20 ■ Individuel : 25 min

Exercice 2 :
Les élèves relient les mots des deux colonnes.

Écrire une phrase

Compétences :
Formuler une phrase à l'oral ; Écrire une phrase à l'aide d'un corpus de mots décodables.
Support : Fichier de lecture-compréhension page 21.

Phase orale ■ Fichier page 21 ■ Collectif : 20 min

• Annoncer l'objectif de la séance : « savoir écrire une phrase pour dire où dort un animal ».
Les élèves auront à leur disposition des noms d'animaux et de lieux qu'ils savent lire ainsi que les déterminants *le* et *la*.
• Écrire au tableau la phrase : *Le chat dort dans la chambre.*
• La lire à voix haute et annoncer qu'ils vont avoir à écrire d'autres phrases sur ce modèle.
• Les élèves ne peuvent pas décoder tous les mots de cette phrase modèle mais ils ont tous été rencontrés dans l'histoire. Cependant, l'écriture liée peut constituer un obstacle pour certains élèves. Demander aux élèves de venir au tableau entourer chaque mot de la phrase.
• Faire identifier le mot qui désigne l'animal et le mot qui désigne le lieu. Les élèves explicitent leur réponse. Ils peuvent répondre :
- qu'ils reconnaissent les mots écrits ;
- qu'ils repèrent à l'oral leur place dans la phrase ;
- qu'ils se souviennent (et l'enseignant(e) le leur rappelle) que les mots *le* et *la* se placent devant des noms.
L'enseignant(e) dessine alors le chat et la chambre au-dessus de chaque mot.
Elle/Il relit la phrase en totalité puis des mots dans le désordre. Les élèves le font à leur tour.
Jeu du furet : L'enseignant(e) montre les mots, chaque élève lit à son tour en suivant l'ordre des tables.
• Les élèves observent et commentent les visuels de la page 21 du fichier. Leur demander de trouver les noms des animaux et des lieux dessinés dans le tableau dessous.
Les élèves sont amenés à comprendre que les noms d'animaux sont écrits dans la colonne de gauche et les noms de lieux dans la colonne de droite. Leur demander de le verbaliser.
• Demander aux élèves d'expliquer ce qui est attendu dans la tâche d'écriture et comment ils vont s'y prendre. L'enseignant(e) répète l'explicitation puis réalise la tâche devant les élèves, en commentant oralement la démarche suivie :
Je veux écrire : ***Le rat dort dans le four.***
Je cherche le premier mot ***le****, je l'écris avec une majuscule puisqu'il commence la phrase.*
Le deuxième mot est le nom de l'animal ***rat****. Je le trouve dans la colonne de gauche du tableau. Je sais le lire et je le recopie. Les deux mots suivants* ***dort dans*** *sont écrits. Il me reste à écrire le nom du lieu où l'animal dort. J'écris le déterminant* ***le*** *ou* ***la*** *avant le nom du lieu que je choisis dans la colonne de droite. Je vérifie que la phrase se termine par* ***un point*** *à la fin de la phrase.*

Phase écrite ■ Fichier page 27 ■ Individuel : 20 min

• Les élèves travaillent individuellement au crayon. L'enseignant(e) veille à ce qu'ils soient assis correctement et que le crayon soit bien tenu.
• Individuellement, des encouragements et une aide peuvent être apportés.
• L'activité de dessin permet de se rendre compte si l'élève s'est fait une représentation correcte de sa phrase.

Différenciation :
• La contrainte des interlignes peut être prématurée pour certains élèves. Il leur est alors demandé d'écrire au-dessus des lignes.
• L'enseignant(e) peut regrouper quelques élèves pour reprendre l'explicitation de la démarche.
• Les élèves peuvent aussi travailler avec les mots connus mais non complètement décodables de la page 20 de vocabulaire.

Écouter un autre texte : le Jeu de l'oie

• Ce jeu de l'oie (plateau de jeu) est proposé dans le fichier à photocopier ou à télécharger sur le site de Nathan accompagnant la méthode. Il peut être photocopié au format A3 et si possible collé sur un support rigide. Il peut être imprimé en couleur ou colorié et plastifié.
• Il pourra être utilisé tout au long de l'année pour revoir de manière ludique les connaissances acquises dans chaque période.
• Les cases bleues renvoient à des questions portant :
- sur la culture littéraire ;
- sur le vocabulaire travaillé ;
- sur les connaissances de la langue orale et écrite.

Dans chaque période du fichier de l'élève, un autre texte est proposé. Il a pour but d'offrir aux élèves la possibilité de se familiariser avec des types de textes variés. Les principaux supports de lecture étant des histoires et un documentaire, les pages « autre texte » élargissent le corpus proposé, ici avec un écrit fonctionnel : la règle d'un jeu de société.

Séance 1

Compétences :
• Prendre la parole pour décrire.
• Formuler des hypothèses sur les règles de ce jeu en particulier.

Phase 1 ■ Fichier page 22

Collectif : 20 min ■ Texte projeté au tableau

• Découverte de l'illustration montrant un jeu de l'oie. Laisser les élèves réagir sur les illustrations, le fait qu'il s'agisse d'un jeu. *L'ont-ils compris ? Le connaissent-ils ?*

Exercice 1 :
• Question de recherche : *Sur quoi allons-nous travailler ?* Puis : *Pouvez-vous expliquer comment on joue à ce jeu ?*
Vocabulaire attendu : *pion – case – dé – lancer le dé – avancer – reculer.*
Vocabulaire à introduire : *plateau de jeu.*
• Les remarques des élèves sont recensées au tableau ou sur une affiche représentant le jeu pour laisser une trace des mots que l'on retrouvera lors de la lecture du texte.
• Annoncer aux élèves que l'on pourra jouer au jeu présenté sur le fichier avec du matériel fait pour la classe, que les règles précises vont leur être lues et qu'ils auront à les comprendre et à les redire à l'oral.

Phase 2 ■ Fichier page 22

Collectif : 25 min ■ Texte projeté au tableau

• Annoncer l'objectif aux élèves : *Vous allez chercher dans ce texte des indices qui vous permettent de comprendre comment est écrite la règle du jeu. Vous allez sans doute retrouver ce que l'on a écrit au tableau quand on a décrit l'illustration.*
• L'enseignant(e) propose une phase de découverte collective. Les élèves ont la page de leur fichier sous les yeux mais il est préférable de projeter son image ou de reproduire la page au tableau.
Les élèves viennent à tour de rôle au tableau et indiquent sur le support collectif les indices qu'ils ont prélevés. Les autres peuvent valider ou non, l'enseignant(e) relance en généralisant les trouvailles et structure l'ensemble des remarques des élèves.
Synthèse : *Qu'avons-nous découvert sur ce texte ?*
• On conserve le texte annoté des remarques des élèves. On peut s'attendre :
- au repérage des deux parties du texte et de leur nom ;
- au repérage de la numérotation ;
- à l'identification de mots (certains étant écrits au tableau lors de la découverte de l'illustration du jeu) et de signes de ponctuation ;
- au repérage d'éléments répétitifs et de différences.
• L'enseignant(e) lit le texte. Les élèves suivent des yeux et du doigt sur le texte du fichier.

Séance 2

Compétences :
• Connaitre la structuration d'un texte de règle de jeu.
• Organiser des recherches de façon adaptée à ce type de texte.

Phase 1 ■ Fichier page 22

Collectif : 15 min ■ Texte projeté au tableau

• Rappel de la lecture par les élèves à l'oral ; ils disent avec leurs mots, de manière collective, comment on joue avec ce jeu.
• Puis rappel par l'enseignant(e) des connaissances relatives au texte sur le support collectif.

Phase 2 ■ Fichier page 23

Collectif : 15 min ■ Individuel : 15 min

Exercice 2 :
• Ce travail a été préparé lors de la lecture par l'enseignant(e). Un court moment d'explicitation est nécessaire avant de travailler individuellement.
• Les élèves sont invités à proposer leur propre démarche pour faire l'exercice.
Formulation attendue : *Dans ce type de texte, on donne tout d'abord le matériel de jeu puis les règles. La partie qui parle du matériel de jeu est donc au début (en haut) du*

texte. La partie qui explique les règles est en dessous de la partie matériel de jeu.

Exercice 3 :

Compétence : Identifier un objet comme étant un intrus.

• Travail individuel après lecture de la consigne par l'enseignant(e).
Remarque : L'enseignant(e) ou les élèves font remarquer que, pour trouver l'intrus, il faut comparer la liste du matériel du texte à celle de l'exercice.
• Correction collective.

Exercice 4 :

Compétence : Associer un signe correspondant à une consigne.

• Un travail de compréhension des items de l'exercice est nécessaire.
• Les élèves doivent identifier les trois types de case. Les mots « case avec une oie », « case bleue », « case rouge » sont écrits avec leur représentation au tableau.
• Sous le guidage de l'enseignant(e), en recherchant dans le texte de la règle les mots « case avec une oie », « case bleue », « case rouge », les élèves retrouvent les règles décrivant les actions à faire pour ces trois types de case. Ces écrits correspondants sont surlignés dans le texte du fichier ou sur un modèle collectif au tableau (exemple : « case rouge » et « recule de trois cases »).
• Travail individuel suivi d'une correction collective.

Différenciation :
Les élèves peuvent travailler à deux pour échanger sur leurs démarches.
Avec l'enseignant(e), un petit groupe peut poursuivre le travail d'explication fait en collectif. Chaque élève aura à faire le travail sur une case en expliquant à voix haute ce qu'il fait et comment il le fait.

Exercice 5 :

Compétences :
• Lire et comprendre une consigne.
• S'approprier la manière de déplacer son pion sur le chemin des cases.

Cet exercice est à faire en autonomie. Il sera corrigé en collectif.

Différenciation :
Ce travail est destiné aux élèves qui ont terminé rapidement l'exercice 4.

Séance 3

Cette troisième séance, très ludique, n'est pas prévue dans la programmation. Elle peut se faire à la fin de chaque période et permet une révision des notions étudiées.

Phase 1 ■ Fichier page 22

Collectif : 20 min

Compétence : Savoir décrire à l'oral.

• Rappel de la règle du jeu par les élèves à l'oral. Le rappel s'effectue de manière collective, chaque élève pouvant apporter un complément d'information à ce qui a été dit auparavant ou reformuler à son tour avec ses mots. L'enseignant(e) n'intervient pas mais interroge à la fin, pour relancer ou s'assurer que tout a été dit. Il fait respecter les règles de la communication (rester dans le sujet, attendre son tour).
• Quand les élèves ont le sentiment d'avoir tout dit, l'enseignant(e) relit le texte du fichier page 22. Le texte est projeté au tableau pour que les élèves en suivent la lecture.

Phase 2 ■ Support collectif du jeu

Cartes questions (à photocopier) ■ Collectif : 25 min
Équipes de 4 élèves

Compétences :
• Savoir travailler en équipe.
• Savoir réactiver des connaissances apprises lors de la période 1.

• L'enseignant(e) annonce que le jeu va se jouer par équipes de quatre joueurs. Les élèves s'organisent rapidement en ilots.
• Le plateau de jeu est placé soit verticalement au tableau, soit sur une table au milieu de la classe. La boite contenant les cartes des questions est placée à côté du plateau de jeu.
• Chaque équipe a un pion. Chaque élève de l'équipe viendra à son tour le déplacer sur le plateau commun à la classe. Lorsque le joueur arrive sur une case bleue, il tire une question. Une trentaine de questions sont proposées sur la période 1 pour revoir les apprentissages lexicaux, culturels et linguistiques. Attention ! La réponse à la question devra être donnée par l'ensemble de l'équipe, l'enseignant(e) pouvant interroger au hasard un de ses membres.
La réponse à la question n'est donnée qu'au tour suivant, l'équipe pouvant entre temps, chercher, partager ses savoirs et se mettre d'accord.
• L'enseignant(e) est le meneur de jeu. Il veille à faire s'alterner les différents joueurs sur un rythme soutenu. Il lit les questions tirées à voix haute pour que tout le monde les entendent. Il rappelle la question quand une équipe donne la réponse et demande à l'ensemble de la classe de valider la réponse.

Prolongements :
• Les élèves peuvent inventer de nouvelles questions au cours des prochaines séances de lecture sous forme de dictées à l'adulte.
• Les questions peuvent être utilisées en dehors du jeu comme rituel de révision des connaissances sur un court moment de la journée de classe.

Fichier à photocopier

Exemples de cartes pour les cases bleues du jeu de l'oie - Période 1

Cartes « CULTURE » △

Donne le nom d'une poésie. △	Comment s'appelle la partie cartonnée d'un livre ? △	Le texte de *l'Empereur, sa femme et le p'tit prince* est une chanson ou une comptine ? △	Donne le nom d'un chat célèbre. △

Cartes « VOCABULAIRE » ○

Quels sont les noms des jours de la semaine ? ○	Comment s'appelle l'endroit où vivent les poules ? ○	Donne 4 noms des pièces d'une maison. ○	Qu'est-ce qu'un perchoir ? ○

Cartes « CONNAISSANCES DE LA LANGUE ORALE ET ÉCRITE » □

Trouve 2 jours de la semaine qui finissent par la syllabe ***di***. □	Trouve un nom qui est accompagné par ***le*** ou ***un***. □	Combien y a-t-il de lettres dans le mot ***mardi*** ? □	Combien y a-t-il de mots dans la phrase : ***Mon chat joue.*** □

Exemples d'exercices de fluence
Période 2

Ces exercices se basent sur les apprentissages de la période 1. Voir les modalités en page 8 de cet extrait.
Le dispositif complet pour cette période ainsi que pour les périodes 3 à 5 est disponible dans le fichier à photocopier.

1 Je lis des graphèmes

A	i	u	L	o	a	L	l	U	r
O	é	f	R	P	F	e	T	E	p
i	A	L	u	a	o	l	L	r	U
p	E	T	e	F	P	R	f	é	O

2 Je lis des syllabes

Je lis des syllabes (lecture en ligne puis en colonne)

la	le	lé	li	lo	lu	lou	ra	re	ré
ri	ro	ru	rou	fa	fe	fé	fi	fo	fu
fou	pa	pe	fé	fi	fo	fu	fou	ta	te
té	ti	to	tu	tou	ru	lu	ré	fé	fo

tra	tre	tré	tri	tro	tru	trou	fra	fre	fré
fri	fro	fru	frou	pra	pre	pré	pri	pro	pru
prou	fla	fle	flé	fli	flo	flu	flou	pla	ple
plé	pli	plo	plu	plou	tré	pro	pli	fru	lie

3 Je lis des mots

Je lis des mots outils (lecture en ligne puis en colonne)

le	la	un	il	est	tu	de	des	Le	Un
la	est	il	de	tu	des	le	la	Il	la
un	des	tu	de	le	est	il	un	des	le

Je lis des mots avec un découpage en syllabes (lecture en ligne puis en colonne)

petit	poule	tortue	télé	poupée	été	polo	pédale	folie
réalité	férié	affolé	frire	tipi	tortue	talus	raturé	retour
repas	élevé	petite	faite	repéré	toupie	tapir	préparé	troué

Je lis des mots qui commencent par la même syllabe (lecture en colonne)

papa	pré	repas	roux	fripé
pâté	prêté	retour	route	frite
pâle	préféré	relu	roule	frire
papou	préparé	repéré	roulotte	fripe
pape		refus	roulera	

Je lis des mots qui riment (lecture en colonne)

la ruée
la fée
la fusée
la poupée
la télé
la réalité
affolé
relié

papa
le lilas
le rat
tata
le repas
Paola
le pas
relira

le tapis
le tipi
Lili
le riz
la pie
le pli
poli
la toupie

le pou
l'époux
le loup
roux
tout
le toutou
le trou
flou

Je lis des mots qui ont une syllabe commune (Voir fichier à photocopier)

Je lis les mots de la période 1 (Voir fichier à photocopier)

4 Je lis des phrases

Je lis des phrases de plus en plus longues

Lulu a lu.
Lulu a lu, il a ri.
Lulu a lu, il a ri, il relit.
Lulu a lu, il a ri, il relit, il a tout lu.

Papa répare.
Papa répare le trou.
Papa répare le trou de la porte.
Papa répare le trou de la porte du tipi.

5 Je lis un texte

Je lis en respectant la ponctuation et l'intonation

Pour la poule, Papi a du riz. Il prépare un pot.
Pour la tortue, Papi a des pelures de patates. Il prépare un pot.
Pour Lili, Papi a des frites. Il prépare le repas.
Tout est au four. Il est fort Papi, dit Lili.

Bilan 1

Prénom et nom : ....

Écoute ce texte.

Dans la voiture, Ouma demande à la maman :
– Je peux dormir avec toi ?
– Non, réfléchis ! Je vais aller dormir dans ma chambre.
– Dommage, j'aurais aimé dormir dans la voiture avec toi, dit le chat en partant.

1 **Entoure** les personnages de l'épisode.

2 **Souligne** dans le texte ce que dit la maman.

3 **Colorie** les majuscules et les points dans les paroles de la maman.

Combien y a-t-il de phrases dans ces paroles ? **Entoure** la bonne réponse.

1 2 3 4 5

4 **Entoure** la bonne réponse. À ton avis, que ressent Ouma ?

5 **Découpe** et **colle** les images dans l'ordre de l'histoire de *Mon chat Ouma*.

6 **Entoure** les noms des personnages de l'histoire

cour – Ouma – lit – bocal – Momo – Raoul

7 **Colorie** les lettres du mot : poule.

a	p	d	o	f	g	u	m	t	l	b	e	x

8 **Colorie** les espaces entre les mots de la phrase.

Je peux dormir avec toi ?

Écris le nombre de mots.

Il y a ______ mots.

Méthode de lecture

TRAMPOLINE CP

NOUVELLE ÉDITION 2020

Les fichiers de l'élève

Des unités sur chaque graphème, des bilans et des pages consolidation.

Des activités de compréhension sur les 5 albums, du vocabulaire, de la production écrite...

Les outils de l'enseignant

La mise en œuvre des séances et les conseils pour la différenciation.

Les lectures du soir, les fiches de fluence et d'écriture, les bilans et les jeux.

Les 5 albums de la méthode

Jack Fontaines
D'après un récit du patrimoine

Sylvie Poillevé
Conte détourné

Rob Scotton
Récit policier

Cécile Jugla
Documentaire

Laurence Gillot
Récit de vie

+ Gratuits
en téléchargement sur
trampoline.nathan.fr

- Guide pédagogique en PDF
- Ressources complémentaires (fiches lectures du soir et bilans modifiables en format Word, affiches mots-repères)
- Version numérique enseignant **Compatibilité tablettes/PC/Mac**
  Les fichiers élève vidéoprojetables avec un espace personnel pour préparer ses cours + le guide pédagogique

Dans la même collection : Trampoline CE1

Code à utiliser pour vos commandes
978-2-09-124346-7

ISBN 313-3-09-117242-8

3 133091 172428

MIXTE
Papier issu de sources responsables
FSC® C022030

Nathan

N° d'éditeur : 10261319 - Février 2020 - Imprimé en France par Laballery - 001414